요괴 (2018년 Version)

요괴 시나리오 (2018년 Version)

발　행 | 2024년 03월 04일
저　자 | 임상훈
펴낸이 | 한건희
펴낸곳 | 주식회사 부크크
출판사등록 | 2014.07.15.(제2014-16호)
주　소 | 서울특별시 금천구 가산디지털1로 119 SK트윈타워 A동 305호
전　화 | 1670-8316
이메일 | info@bookk.co.kr

ISBN | 979-11-410-7454-8
www.bookk.co.kr

요
괴

임상훈 지음

CONTENT

영화 유튜버 레디액션맨의 첫 번째 시나리오집.

https://www.youtube.com/@DirectorSangHoonLim

S#1 깊은 산 속 (밤)

　카메라, 영화사 로고 가운데를 관통하면 어두운 밤의 산골짜기가 보인다.
　깊은 산길엔 심마니 한 명이 내려가고 있다.
　심마니, 지게에 짐을 가득 싣고 있는데, 수확량이 많은지, 봇짐에서 삼들이 삐져나와 있다. 주머니에서 삼을 하나 꺼내들고 미소짓는다.
　그런데 바로 그때!!

여자비명소리　꺄아악!!

　근처에서 들리는 여인의 비명소리!!

심마니　(놀라서)뭐야!

　심마니, 산길을 조금 더 내려가다가 나무 뒤에 숨어서 앞을 본다.
　멀리서는 한 여인이 쓰러져 있는데, 자세히 보면, 몸이 묶여 있다.

여인　살려주시오!!!

　이어서 정체 모를 괴한이 나타나 여인을 겁탈하려고 드는데, 여인이 몸부림치자 방망이를 들고, 여인을 마구 팬다. 죽을 때까지.
　이 모든 광경은 심마니의 시선으로 롱샷으로 찍힌다.
　이 광경을 보고 놀라는 심마니, 괴한의 형체가 잘 보이진 않지만, 자세히 보면, 괴한의 머리엔 뿔이 달려 있다.

심마니   (혼잣말로)이웃 마을 사람들을 납치해간다던 놈들이
        바로 저놈들인가?

  괴한의 형체는 어두워서 정확히 보이지 않으나, 머리에 뿔이
달려 있고 방망이엔 가시가 돋혀 있다.

심마니   큰일이군. 우리 마을도.

  하지만 그때, 괴한이 두리번거리다가 심마니와 눈이 맞는다.

심마니   (놀라는 표정)헉!

  위기를 직감하고 반대 방향으로 다급히 도망치는 심마니.
  괴한도 빠른 속도로 심마니를 추격한다.
  심마니, 사력을 다해 도망치지만 그가 도망치는 방향에서 또
한 명의 괴한이, 다른 방향에서 또 한 명의 괴한이, 또 다른
방향에서 또 한 명이 튀어나와 그의 길을 막는다.
  괴한들을 피하기에 급급한 심마니는 눈에 길이 보이는 대로
달아나다가 굴러 떨어진다. 한없이 구르던 그는 산 아랫마을로
통하는 길까지 떨어진다.
  지게가 부서지고 짐을 잃어버리고, 살이 찢기면서 떨어지고
도 가까스로 살아난 심마니, 다시 일어난다.
이때, 뒤에서 괴한들도 달려든다.
  사력을 다해서 뛰는 심마니의 눈앞엔 마을이 보인다.
  심마니가 마을 입구에 간신히 닿으려는 순간!!
  쿵!!
  뒤에서 갑자기 불길이 치솟아오고, 심마니가 간신히 그것을
피하지만, 불길은 순식간에 온 마을을 불태워버린다.

너무나도 놀랍고 끔찍한 광경에 좌절하여 멈춰서는 심마니, 믿기지 않는데다가 절망적인 광경에 그저 굳어버린다.

바로 그때, 뒤에서 뿔달린 괴한 하나가 방망이로 심마니의 뒤통수를 쎄게 갈기고, 심마니는 한방에 무너진다.

싸늘한 주검이 되어 쓰러진 심마니의 시체 위로 한 장의 종잇장이 떨어지고, 그 종잇장엔 머리에 뿔 달린 괴물이 그려져 있으면서 한자와 한글로 "도깨비"라는 단어가 병기되어 있다.

S#2 운현궁(밤)

마을이 괴물의 습격을 받아 불타버렸다는 소식이 대원군에게도 전해지고, 대원군은 분노한다.

대원군 이번에도 그 도깨비란 놈들 짓인가?

천하장안1)   예. 대감.

대원군 멍청한 놈들 같으니라고...
관리라는 놈들이 얼마나 한심하면,
이 마당에 그런 불한당들이 판치고,
그놈들을 잡지도 못하느냔 말일세!!

천하장안   ...

---

1) 대원군의 경호팀장.

대원군 지금 이 나라 안팎으로 정세가 어지럽다는 걸
       정녕 그들은 모른단 말인가?!

천하장안   ...

대원군 악독한 놈들!! 하필이면 이런 때에...

   대원군, 격노한다.

대원군 하필 이런 때에!!!

S#3 Title / 불타는 마을(밤)

   불타는 마을에서 괴한들이 잔혹한 광경을 보며 즐기듯이 웃는다.
   카메라는 그중 대장처럼 보이는 자의 눈 속으로 들어가고,
그 눈 속에서 불타는 마을에서 한 초가로 들어간다.
   초가엔 시체들이 쌓여서 불타고 있고, 각각의 시체들에서 피
가 흘러나온다.
   카메라는 피가 흐르는 방향을 따라 달리아웃으로 후진하고,
피는 더 어두운 구멍으로 흘러들어간다.
   어두운 미지의 공간 속에서 누런 한지 위에 촛불같은 조명이
켜지고, 그 위에 피가 폭포처럼 쏟아져서 붓글씨형태를 이룬다.

요괴

   제목 글자는 번지듯이 지워지고, 새로운 글이 써진다.
   동시에 그려지는 그림, 그리고 나레이터가 글을 읽는다.

나레이터[2]   태초에 한반도엔 인간과 요괴가 공존했다.
                 그들은 수많은 세월을 공존했지만,
                 인간들은 요괴들을 두려워했고,
                 요괴들은 자신들을 멀리한 인간들을
                 증오하며, 서로 경계했다.
                 그리하여 전쟁이 벌어졌고,
                 기나긴 싸움에 서로 지친 그들은
                 더 이상 문제가 생기는 일이 없도록 하기 위해서
                 "상호 불가침 조약"을 맺었다.
                 이후 요괴들은 자신들만의 구역에서
                 한 가지 규칙을 정했다.
                 "인간들의 일에 절대 끼어들지 않는다."
                 이것이 그들의 규칙이었고,
                 요괴들과 인간들은 서로 멀어져 갔다.

    촛불조명이 꺼지면서 타이틀장면이 끝난다.

S#4 요괴 회담장

    산 속 깊은 곳의 목조건축물. 그곳이 회담장이다.
    탁자 위에 탁! 하고 내던져지는 종잇장.
    첫 번째 씬에서 등장한 도깨비 인장이다. 머리에 뿔 달린 이
상한 도깨비의 인장.
    회담장 내엔 엄숙한 분위기가 흐르고, 가운데엔 요괴들의 수
장인 장산치가 앉아 있다.

---

2) 나레이터=(나레이터)=나레이터(E) or 나레이터(Na)

해치(해태)의 몸에 장산범의 흰털과 날카로운 손발톱을 지닌 자, 마치 모피코트를 입은 산적두목 같은 자, 산적의 우두머리 같은 잔인함과 지적인 카리스마를 갖춘자,
바로 그가 '장산치'이다.

장산치 (분노하며)도대체 누구냐?
　　　　이 땅에서 내 허락도 없이 인간들을 건드린 놈들이!!

　한층 더 엄숙해지는 회담장.

장산치 인간의 언어로 인장을 남겼다.
　　　　가뜩이나 인간들은 우리를 못 잡아먹어서 안달인데,
　　　　그들에게 우리를 공격할 빌미를 준 셈이지.
　　　　도대체 어떤 놈이 우리의 불문율을 깬 건지 궁금하군.
　　　　(길달을 보며)길달, 도깨비인 넌 아는바가 있나?

　겉보기엔 그저 인간처럼 보이는 자. 다소 지저분해 보이는 긴 머리지만, 용모가 귀티나게 생긴 자. 도깨비지만, 뿔이 없는 자.
　그자가 바로 '길달'이다.

길달 처음 보는 생김새입니다. 이 땅에서 뿔 달린 도깨비는
　　　　본 적이 없습니다.

장산치 다른 이들은 아는가?

치우 글쎄...처음 보는데...

강철아 저도 처음 봅니다.

그슨대 처음 보는 얼굴입니다.

닷발 저도 마찬가지구만요.

매구 천년 넘게 여우로 살면서 많은 놈들을 만났지만,
      이런 놈은 없었습니다.

장산치 그렇다면 아무도 모른다는 얘기군.

길달 (조심스럽게 추측)혹시...외지에 사는 놈은 아닐까
      합니다만...

장산치 ?

길달 수천 년 동안 이어져 온 우리들의 불문율을
      이렇게 아무렇지도 않게 여기는 것을 보면,
      그걸 전혀 모르는 외지의 요괴일 수도 있다고 생각합니다.

장산치 그렇다면 놈이 갑자기 왜 왔을까?

길달 정확히는 모르겠습니다.

장산치 아무튼 이번 일은 절대 그냥 넘어갈 일이 아니다.
        인간들과의 싸움이 발생할 수도 있는 일이다.
        비록 작은 싸움이 가끔씩 있긴 했지만,
        우린 불문율을 지켜오면서 최선을 다해서
        지금까지 평화를 유지했다.

물론, 인간들과의 싸움에서 이길 자신이 있긴 하지만,
피해를 보는 일은 최대한 없게끔 해야지.
어떤 놈인지, 어디서 왔는지, 목적이 뭔지,
반드시 알아내라.
(길달에게)녀석이 도깨비라는 이름을 걸고 나선 만큼,
네가 책임지고 반드시 밝혀내!
어떤 놈인지 아주 본때를 보여줄 테니까!

길달   예, 알겠습니다!

장산치   그리고 모두들 조심해라. 다시 한 번 말하지만,
이번 일로 인해 인간들과의 싸움이 날 수도 있다.
알았나?!

모두들   예!!

S#5 경복궁 근정전(아침)3)

정사를 논하러 왕과 신하들이 모인 가운데 무거운 긴장감이 감돈다.
왕은 근심이 가득한 얼굴을 하고 있다.

고종   지금 나라 안에서 도깨비라는 자들이
난동을 부리고 있다고 들었소.
각 고을의 수령들이 진압할 도가 없어서
난항을 겪고 있다는데...
어찌하면 좋겠소?

---

3) 이 씬의 주요 포인트는 대원군편과 명성황후편의 대립이다. 따라서
신하는 대원신하와 명성신하로 나뉜다.

명성신하1	전하, 하루 빨리 군사를 길러 놈들을 제압하셔야 합니다.
대원신하1	지금 나라 상황을 모르고 그러시오?! 이미 병인년과 신미년의 양인들과의 전투로 손실을 크게 봤소. 게다가 임오년의 난으로 인해 본 피해도 만만치 않소!
명성신하2	그게 다 무엇 때문이오?! 국가의 재정이 빈곤해진 탓이 아니겠소?! 경들이 대원위 대감과 무리하게 경복궁 중건에 돈을 썼기 때문이 아니오!! 그러려고 만든 화폐는 또 어땠소?! 당백전은 결국 이 나라 물가를 상승시킨 원흉이 되지 않았소?!
대원신하2	그것은 왕권을 강화시키기 위함이 아니었소?
명성신하2	그러니까 내 말은...왜 꼭 경복궁이었냔 말이오! 왕권 강화가 무리하게 중건하는 것밖에 없소이까?! 그리고 왜 하필 그 때였나, 또 지을거면 한 번에 제대로 잘 지을 것이지... 화재는 또 뭡니까?! 그 때문에 백성들의 원성이 더더욱 식을 줄을 몰랐소이다! 그런 와중에 선진문물을 받아들이기는커녕

쇄국을 논하면서
척화비나 세웠지 않소!!

대원신하2   그러는 댁들이야말로 말로만 백성을 운운하면서,
민씨와 붙어서 온갖 호화와 사치를 다 부렸잖소!!
그렇게 사치를 부리느라 군납을 내팽개치니까
군란이 일어난 것 아니오?!

명성신하1   아니, 뭐요?! 말씀이 지나치시구려!!

고종   (버럭!)그만, 그만!! 그만들 하시오!!
지금 그대들은 내가 왕으로 보이지 않소?!
어찌 왕 앞에서 왕의 아비와 부인을 모욕할 수가 있소?!
지금 이 자리가 경들 싸우라고 만든 자리요?!
외세의 침략과 당장의 도깨비 난동문제를 해결하기
위한 자리임을 잊었소?!

신하들   송구하옵니다. 전하.

고종   말로만 송구하다고 하지 말고 그럴싸한
대책들을 내놓으시오. 대책을!!

대원신하1   전하, 이번 일은 나라의 기강이 걸린 만큼
결단력이 강한 인물이 책임지고 처리해야
한다고 생각하옵니다.

고종   경이 생각하는 그 자가 누구요?

대원신하1   임시방편으로 대원위 대감을 환궁케 하여
　　　　　　　　복직시키는 것이
　　　　　　　　가장 좋은 방법이라고 생각됩니다.

고종   (놀람, 어이가 없다는 듯이)아니, 뭐요?!
　　　　　　　　10년을 아비의 눈치만 보다가 이제야 겨우 벗어난 짐더러
　　　　　　　　다시 아비를 불러들이란 말이오?!

대원신하1   과거에 얽매여서는
　　　　　　　　당장의 불을 끌 수 없다고 사료되옵니다.

명성신하3   아니되옵니다. 전하. 경복궁 중건과 천주박해,
　　　　　　　　쇄국정책 등으로 나라를 혼란케 한 사람입니다.

명성신하4   게다가 지금도 분명 호시탐탐 정권을 잡을
　　　　　　　　기회를 노리고 있을 겁니다.
　　　　　　　　그런 자에게 중요 직책을 맡기는 것은
　　　　　　　　고양이에게 생선을 맡기는 것과
　　　　　　　　무엇이 다르겠습니까?!

고종   허면 어쩌자는 말씀이시오?!

명성신하2   (조심스럽게)러시아의...도움을 요청하는
　　　　　　　　것이 어떻겠습니까?!

고종   러시아?!

명성신하2   베베르라는 자를 통해
           러시아에 원군을 요청하시는 것입니다.
           지금 우리의 군사력으로는 난을 평정하는
           것과 외세를 막는 것이 힘든 지경이니,
           이참에 러시아군과 합세해서 위기도 막아내고
           선진문물도 대량으로 수용하는 것이
           마땅한 줄 아옵니다.

고종   만약 그들이 돕지 않는다면 어쩔 것이오?!

명성신하2   그들은 분명히 우리를 도울 것입니다.
           병력을 요청한 뒤에 기다려 보심이...

고종   (버럭!)나라가 다 죽어가는 판국에
           대체 어느 세월을 기다리냔 말이오!!
           나라가 가라앉고 있는데, 어느 세월을!!
           (흥분을 가라앉히고)그래, 왜에서 파견된 자들은 어떻소?!
           혹 불길한 징조는 없소?! 어떨 것 같소?!

대원신하3   '미우라' 라는 자 말씀이십니까?!
           새로 부임한 후부터는
           줄곧 불공만 드리고 있다 하옵니다.
           한가로이 불공만 드리고 있는 점으로 보아,
           심히 염려할 점은 없다고 생각되옵니다.

명성신하2   신의 생각은 다르옵니다. 전하.
           불공만 드리고 있다는 것은
           한편으로 이미 어떤 일을 거의 진척시키고

여유를 얻었다는 뜻으로 볼 수도 있사옵니다.
그것이 정확히 어떤 일인지는 모르나,
만에 하나 우리에게 해가 될 경우를 생각하여
대비하서야 합니다.

고종   그럼, 어찌하면 좋겠소?!

명성신하3   러시아의 지원을 기다리는 수밖에...

고종   (버럭!)또 그 소리요?!
(홧김에 익선관을 벗어지며)닥치시오!!
맨날 싸움질이나 해대면서,
이런 문제 하나 제대로 해결 못하고 기다려라?!
정녕 우리 스스로 해결할 수 없단 말이오?!
남이 도와주길 기다리는 것만이 그대들의 대책이오?!
언제부터 조선이 이렇게 한심해졌소?!
내가 경들 쌈박질이나 구경하려고 왕이 된 줄 아시오?!
짐이 경들 때문에, 이러려고 왕이 되었는가
자괴감이 들고 괴로울 지경이오!!
그래, 좋소! 경들 마음대로 하시오!!
단!! 이번 사태를 어떻게든 해결하시오.
우주의 기운을 다 모아서라도, 굿을 벌여서라도,
그렇고 그렇게 잘 해결해야만 하오!! 반드시!!
아시겠소?!

모든 신하들   예, 알겠사옵니다. 전하!

고종   (진정하고)이것으로 회의를 마치겠소. 모두 나가시오.

신하들은 모두 나가고, 내관은 익선관을 주워서 왕에게 다시 씌운다.

S#6 일본 공사관(낮)

남산 주재 일본 공사관. '미우라 고로' 공사가 불상 앞에서 염불을 외고 있다.
일본인들 간의 대사는 모두 일본어로 진행된다.
비서가 들어온다.

비서   미우라 공사님, 오카모토 소좌가 왔습니다.

미우라   들라하게.

비서 나가고 오카모토가 들어온다.

오카모토   왔습니다. 미우라 공사님.

미우라, 불공을 멈추고 오카모토를 보고 말한다.

미우라   오카모토 류노스케 소좌.
        조선 궁궐의 대 고문이자 조선 내정 장악의 일인자!
        늘 수고가 많네.

오카모토   과찬이십니다.

미우라 그래, 요즘 조선 조정 상황은 어떤가?!
       혹 의심하는 눈치가 있던가?

오카모토   걱정하실 것 없습니다.
           조정에서는 공사님을 두고
           '염불공사'라고 하더군요.

미우라 염불공사?!
       하하, 하긴, 허구한 날 불공만 드리고 있으니 말이 되는군.
       그래, 작전은 잘 진행되고 있겠지?

오카모토   걱정 마십시오. 이미 히로시마 지방재판소로부터
           30여 명의 낭인들을 넘겨받아 훈련시키는 중입니다.
           그들 대부분은 외모와 전적, 기술,
           그 어떤 것으로 보나
           공포심을 유발하기에 안성맞춤인 자들입니다.

미우라 아주 좋아. 일이 진행되고 나면,
       만약 비난의 여론이 형성된다 하더라도
       꼬리를 잘라내기에 좋겠군.

오카모토   또한, 저번에 말씀하신 일도
           수월하게 진행되는 편입니다.
           이미 조선에 공포와 혼란을 심어주는 역할을
           아주 톡톡히 하고 있습니다.
           그들은 온갖 무서운 일들을 벌이면서
           끔찍하고 잔혹한 괴담을 만들고 있습니다.

미우라   그 괴물들 말인가?!
          내 아주 묘책으로 생각하고 한 말이지만,
          설득하기가 쉽진 않았을 텐데...
          원래 그들은 우리를 돕지 않는 자들 아닌가?!
          다가가기만 해도 다 죽인다는 말도 있던데...

오카모토   그들도 우리와 같다고 생각했습니다.
          그들도 결국엔 우리의 문화권에 속한 자들이고,
          우리 땅이 더 넓고 질이 높아져야
          그들도 더 편히 살지 않겠습니까?
          저는 그들을 과거 막부세력의 일환으로
          생각하고 이 점을 최대한 활용하여
          포섭할 수 있었습니다.

   미우라, 크게 웃는다.

미우라   하하하! 역시 자네군! 역시 대단해!
          작전의 신동이라는 별명이 전혀 과언이 아니야.
          내 진작에 자네를 살려두길 잘 한 것 같네.
          무쓰 무네미쓰 대신을 통해 자네를 감옥에서 빼내서
          조선 조정에 밀파하길 잘했군.
          내정 간섭에 핵심 역할을 아주 잘 하고 있으니,
          본국에서의 기대도 크네.
          그러니 조금만 더 힘내주게.

오카모토   예! 알겠습니다.

미우라   아, 그 대원위라는 자를 이용하는 것은
         어떻게 되어가고 있나?!

오카모토   송구하옵니다만, 그건 쉽게 되질 않고 있사옵니다.
                왕비와 정치적인 적대관계인 점을 보면
                우리 편에 설 법도 한데,
                무슨 이유에서인지, 호의적으로 나오질 않습니다.

미우라   자기 손에 며느리의 피를 직접 묻히고 싶진 않다는 건가?!
         후훗, 뭐, 상관없지.
         그가 돕지 않는다고 해서 여우를 못 잡을 것도 없으니까.
         그를 포섭하는 건 적당히만 하고,
         자네는 그 낭인과 괴물들에게 더 신경써주게.
         조만간 일을 성사시킬 수 있도록 말이야.
         다만 조금 더 서둘러주게. 최근에 안경수라는 군부대신이
         우리 쪽 교관이 조련한 조선훈련대를 해산하겠다고 통보해왔네.
         지깟 놈들이 뭘 어쩌겠냐마는,
         만에 하나 해산되기라도 하면 일에 큰 지장이 생길 테니까...

오카모토   신속히 마무리하겠습니다.

미우라   그렇다고 조급해하진 말게나. 정확함이 더 우선이니까.
         여우를 잡는 일에 단 한 치의 실수도 있어서는 안돼네.
         그 점 명심하도록!

오카모토   예! 명심하겠습니다!

S#7 신하 "아무개"의 집[4]

신하 "아무개"의 집 침소.

아무개   이 나라가 걱정이구만. 호시탐탐 외세가 침략을 노리고 있고,
안에서는 난이 일어나고 있고,
왕은 결정 하나 제대로 못하고 있으니 말일세.
뭔 말을 해도 통 들으시질 않는 것 같구만.

이방   예. 그렇사옵니다.

아무개   지난번에 왜구 상인들한테서 산 개 한 마리 있지 않나?

이방   예.

아무개   당장 데려오게.

이방   예, 알겠습니다.

이방, 나가서 강아지 한 마리를 데려온다. 누런 강아지다.

아무개   새끼구만. 종자가 뭐라 했지?

---

4) 아무개는 대원군편일 수도 있고 명성황후편일 수도 있다. 어느 편이
든 왕을 답답하게 여기는 건 마찬가지.
전체적으로 잔혹한 작품 톤에서 관객들이 잠시 쉬어갈 수 있도록 하기
위한 개그 장면.
다만, 정서적 위화감 없이 자연스럽게 연출되어야 함.

이방   예, 씨바...

       (헛나온 말에 당황한다. 조심스럽게)아,

       아니...시바...견이라고 하옵니다.

아무개   아...시바 견이구만.

       목줄이랑 쓸 것 좀 갖다 주게.

    이방, 나가서 목줄로 할 만한 줄이랑 한지, 붓, 먹을 가져온다. 먹은 갈아서 가져온다. 이때, 문은 꼭 닫는다. 그 누구도 밖에서 보지 못하도록.

    아무개, 이방이 가져온 필기구로 한지에 어떤 글자를 적는다.

아무개   (글자 적으면서)시바견에...새끼라...

    아무개가 적은 글자는 "王(왕)"자다.

    아무개는 개 목줄을 만들어서 그 글자를 붙이고, 개한테 씌운다.

아무개   (개를 보며)자, 앉거라.

    하지만 개는 앉지를 않는다.

아무개   앉아!

    하지만 개는 역시나 앉지 않는다.

아무개   (이방을 보고)이놈이 귀가 먹은 건가?! 왜 앉지를 않는 건가?!

       (다시 개를 보고)앉아!!

하지만 역시나 개는 그 말을 무시한다. 이에 아무개는 점점 열 받는다.

아무개 그럼, 서라. 서!!

역시나 개는 여전히 말을 무시한다. 아무개는 매우 열 받는다.

아무개 말을 하면 좀 들어라. 이 씨바새끼!!

화가 난 아무개, 개를 발로 한 대 뻥 찬다.
물론, 촬영현장에선 진짜로 차진 않는다. 동물학대를 하면 안되기 때문에 아무개가 욕하는 장면을 클로즈업샷으로 찍고, 개의 몸에 발을 천천히 대고 개가 쓰러지는 연기를 하는 장면을 찍은 다음, 빨리감기를 하고, 때리는 효과음을 넣어서 그럴싸한 학대장면을 만들면, 개를 패지 않고도 개패는 장면을 감쪽같이 만들 수 있다.

S#8 폐허가 된 마을(낮)

길달과 도깨비 패거리 서너 명이 마을을 둘러본다.
집들은 불타버렸고, 땅은 갈라졌다. 그곳에는 시체들이 널브러져 있는데, 맞아죽고, 불타죽은 시체들이다.
그리고 그곳엔, 첫 번째 씬의 '가짜 도깨비인장'이 뿌려져 있다.

길달   악독한 녀석들...

도깨비1   공격수법으로 보나, 잔혹성으로 보나,
　　　　　　　　외지에서 온 것 같습니다.

길달   대체 어디서 온 놈들일까?...

도깨비2   어디서 왔는지는 모르겠지만,
　　　　　　　　이 근처에 머물지 않겠습니까?

도깨비3   인근 산지에 머물고 있을 가능성도 있지 않겠습니까?

길달   아무래도 그렇겠지.
　　　　이 근방에 근거지를 마련해두고 일을 벌였을 가능성이 커.
　　　　그리고 분명히 우리를 알고 이용했을 거야.
　　　　어떤 목적으로 우리를 사칭한 건지는 몰라도,
　　　　심상치 않은 일을 벌이는 것 같구나.
　　　　어서 주변 산을 뒤져보자.

S#9 산 속(낮, 초저녁, 밤)

　도깨비 일행들, 주변 산을 둘러본다. 날이 저물 때까지 산을 샅샅이 뒤지는데, 요괴나 산적들이 거주할 만한 곳을 마땅히 찾지 못한다. 시간은 밤이 된다.

도깨비1   아무리 찾아봐도 없습니다.

도깨비2   근거지라고 할 만한 곳은커녕,
　　　　　　　　산장 하나 없습니다.

도깨비3   날도 저물었으니,
             이제 그만 내려가는 게 어떻겠습니까?

길달   젠장...결국 아무것도 얻지 못하는 건가?
       돌아가자.

도깨비들   예! 대장!

   길달과 일행들, 길을 내려가려는데, 길달의 발에 무언가가 차인다.
   길달, 무언가 해서 아래를 보니, 그것은 땅에서 튀어나와 있
는 사람의 손이다.
   길달의 일행들은 손을 보고 모두 놀란다.
   길달, 손을 당겨서 몸집을 끄집어낸다. 땅속에서 나온 시신
은 여인의 시신으로, 맞아죽은 흔적이 여기저기 남아있다. 그
리고 저고리 사이에 가짜 도깨비 인장이 끼워져 있다.
   시신을 본 도깨비들은 분노한다. 주먹을 부들부들 떤다.

길달   이런, 개새끼들!! 요괴의 명예를 더럽히는 짓을 하고 있어!

   여자의 치마는 다소 찢겨져 있다.

길달   인근 마을의 처녀 같군.
       부패도가 적은 것으로 봐선 당한 지 며칠밖에 되지 않
은 것 같고.

도깨비1   이런!!

길달　확실히 이 근처에 있다.

일단, 조금만 더 찾아보자.

이것으로 이 주변에 있을 가능성이 더 높아졌으니까.

먼저 놈들의 근거지를 파악한 다음에

어떻게 잡을지를 논해보자고.

도깨비5　　　대체 어떤 놈들일까요?!

길달　글쎄다. 두고 보면 알겠지.

이때, 어디선가 사람들이 지나가는 듯한 소리가 들린다.

도깨비5　　　(소리가 들리는 곳을 가리키며)어?! 대장! 저기!

길달, 도깨비5가 가리키는 곳을 본다.

다소 멀리, 나무들 뒤로 사람들이 달려가는데, 카메라가 더 다가가면서 상황이 명확이 드러난다.

한 처녀가 도망치고 있고, 오니들 10여명이 그녀를 뒤쫓는다. 처녀의 치마는 찢어져 있고, 그녀는 오직 속바지만 입은 채로 달리고 있으며, 그녀의 손엔 찢어진 치맛자락이 들려 있고, 그 끝엔 은장도가 묶여 있다.

길달의 일행들, 그 과정을 나무들 뒤에 숨어서 지켜본다.

길달의 눈에 오니들의 뿔이 보인다.

길달　저놈들인가 보군. 우리를 사칭하는 녀석들이.

오니들은 일본어로 말한다.

오니1   (일본어)거기 서랏!!

　처녀와 오니들의 추격전이 계속 된다. 필사적으로 도망치는 처녀 뒤엔 눈에 불을 켠 듯 달려드는 오니들이 따라서 달린다.
　오니들이 바짝 추격해서, 오니 한 명의 손이 그녀의 몸에 닿을락 말락 한다.

오니2   (일본어)요망한 년!! 어딜 도망가!!

　결국 처녀의 옷깃이 그 오니에게 잡힌다.
　하지만, 비록 겁을 먹었어도 살기 위해 발악하는 처녀, 잡히는 순간 은장도를 빼고 돌아서 그 오니의 목을 찌르고, 바로 다시 돌아서 도망친다.

오니2   (일본어)큭!!

　오니2의 뒤에서 오니1이 달려온다.

오니1   (오니2를 보고 일본어)병신 같은 놈.
         (다시 앞을 보고)벼랑으로 몰아!!

오니들   (일본어)옛!

　오니들은 조금씩 흩어져서 대형을 이루면서 달린다.
　처녀의 눈 앞 먼 곳에 벼랑이 보인다. 처녀는 달리면서 어떡할지를 생각한다.
　하지만, 곧 발목을 접질려 넘어지고 만다.
　오니들, 재빠르게 처녀의 주변을 둘러싸고, 오니1이 그녀에게 다가간다.

처녀   (은장도를 오니들을 향해 겨누고, 일본어)
        누구든지 한 발짝이라도 다가오는
        놈은 죽여버릴 테다!!

오니1   (조롱, 일본어)오호호~, 제법 성깔 있군, 그래.
        하지만 과연 네 처지에 그 조막만한 칼에
        얼마나 의지할 수 있을까?
        게다가 그 칼은 너희가 치욕을 겪었을 때
        자결하기 위해 쓴다지?!
        결국 네년을 파멸로 이끌 것이다.

　　처녀, 두려움에 휩싸여 있지만, 살기 위해선 정면으로 맞설 수밖에 없는 상황이 되었음을 직감한다. 그 와중에 적이 성적 수치심을 자극하는 발언을 하는 것을 들으니, 두려운 와중에도 화가 치밀어 오른다.

처녀   (일본어)닥쳐!! 조선 여자를 얕보지 마라!!
        (눈물을 머금고, 오니1을 찌르러 달려들며, 일본어)죽어!!!

　　처녀, 오니1을 찌르려는데, 오니1, 그것을 가볍게 피하고 한 손으로 그녀의 손목을 꺾어 칼을 떨어뜨린 후, 땅에 떨어진 칼을 발로 밀어낸 후, 다시 그 손으로 처녀의 복부를 강타한다.

처녀   컥!!

　　복부를 강타당한 처녀의 몸이 붕 떠서 조금 밀려나가 떨어진다.

이 상황을 지켜보던 도깨비들, 분노하고 서둘러 그녀를 도와
주려고 한다.

길달　　더 이상은 못 봐주겠군. 지금이다!

도깨비들, 처녀를 돕기 위해 나선다.

땅에 떨어져 쓰러진 처녀, 복부를 움켜쥐고 괴로워한다.
오니1, 처녀에게 다가간다.

오니1　　(분노하며 처녀를 노려보고, 일본어)감히 도망쳐서
　　　　　우릴 엿먹어?!
　　　　　용케 도망쳤겠다, 이 쥐새끼같이 요망한 암캐년.
　　　　　너나 죽어랏!!!

오니1, 방망이로 처녀를 내리치려는데, 바로 그때!!

길달　　이야아아압!!

나무들 사이에서 튀어올라 오니들이 처녀를 둘러싸고 있는
원 안에 착지하는 길달의 일행들.
　삼점착지로 땅에 닿는 순간, 그들의 손톱은 단도만큼의 길이
(대략 5㎝ 정도)로
날카롭게 자라고, 손에는 검이 생성되는데, 길달은 한손에 장
검이, 나머지는 양손에 단검이 생성된다.
　이것은 찰나의 순간에 이뤄지고, 이들을 본 오니들은 순간적
으로 놀란다.

착지해서 검을 소환하자마자, 길달, 오니1의 방망이가 처녀
의 몸에 닿으려는 순간, 그 방망이를 검으로 막아낸다.

오니1   (일본어)뭐냐, 네놈은!!

길달   여자를 그렇게 함부로 대하면 안 돼지!!

오니1, 반대손으로 주먹을 길달을 향해 지르고, 길달 또한
이에 맞받아치듯이 주먹을 내지른다. 그리하여 둘의 주먹이 맞
부딪힌다.
둘의 주먹이 맞부딪히는 힘으로 인해, 둘은 서로 몇 발자국
뒤로 밀려난다.

길달   그녀를 놔줘라!!

오니1   (일본어)뭐야, 이거?!

길달   네놈들이 우리들을 사칭하고 다닌다는 그놈들인가 보구나!!

오니1   (일본어)조선의 요괴들인가?!
        보아하니 너희들이 '도깨비'들인가 보군.

길달   ...

오니1   (일본어. 조롱투)너희 조선의 요괴들은 산중에만 틀어박혀서
        세상일은 모르는 채로 고립되어 있다고 들었다.
        분명 너희들은 그걸 평화라고 생각하고 있겠지.
        우리 대장은 그런 너희들이 조선의 정치꾼들과

다를 게 없다고 하더군.

세계정세는 나몰라라 하고 쇄국만을 고집하면서,

정권다툼이나 해대고 스스로 고립되어가는 바보들 말이야.

도깨비2   (답답하다는 듯이 화낸다.)도대체 뭐라는 거야?!

이 땅에 왔으면 우리말로 해라. 죽기 싫으면...

오니1   (더 거만한 조롱투, 일본어)크크크...뭐래는 거야?!

조선 요괴가...

거, 뭔 소린지 모르겠으니까, 일본어로 좀 하지?!

모르면 이참에 좀 배우시지.

이제 곧 우리가 이 땅을 장악할 텐데,

여기서 살려면 배워둬야 하지 않겠어?!

도깨비2   근데 저 새끼가!!

길달   (오니1에게)아무래도 말이 안 통하는 것 같군.

그렇다면 몸으로 이야기하는 수밖에!!

　길달 일행들, 처녀를 구하기 위해 오니들에게 싸우려 달려들고, 오니들도 그에 맞서기 위해 달린다.

　처녀, 혼란을 틈타서 땅을 기어서 은장도를 집고 도망치려하는데, 오니1이 그녀를 잡는다.

처녀   ...!!

오니1   (처녀에게, 일본어)절대 넌 아무데도 못 가!

오니1, 처녀를 방망이로 또 내려치려는데, 그 순간 길달, 오니1의 앞을 막아서서 한손으론 처녀를 잡아당겨 빼내고, 장검으로 방망이를 막는다.

길달이 방망이를 막으려고 검을 휘두를 때, 다른 도깨비들과 오니들 사이에서도 전투가 시작된다. 도깨비들은 기본적으로, 손톱과 단검을 이용한 할퀴기와 검술, 찌르기 등을 이용하고, 오니들은 방망이와 마법을 활용한 액션을 펼친다.

길달의 장검은 오니1의 방망이와 맞닿아 있는데, 오니1의 방망이에서 전기가 일기 시작한다. 방망이에서 생성된 전류는 이내 길달의 온몸에 흐르게 된다.

길달　　(괴로워한다.)으윽!!

도깨비1　　　　대장!!

오니1　(일본어)한 가지 알려주지. 너희 조선은 이제 끝이다!!

도깨비1, 오니1의 뒤에서 달려든다.

도깨비1　　　　이야압!!

오니1, 몸을 뒤로 돌려 방망이로 도깨비1을 쳐낸다. 방망이에 맞은 도깨비1은 1m가량 나가떨어진다.

길달, 오니1을 검으로 내려치려고 하고, 오니1은 재빨리 방망이로 길달의 검을 막는다. 다시 전기가 생성된다. 하지만 이번엔 길달의 검에서도 기운이 흘러나와 둘의 몸에 모두 전류가 흐른다.

오니1   (일본어)으윽!!! 이놈이...!!

길달   막내!!

도깨비5   에, 대장!!

길달   빨리 여자 데리고 도망가!!

도깨비5   예?!

길달   빨리 가!! 녀석들의 말을 알아듣는 여자다.

도깨비5   예!!

 도깨비5, 처녀를 부축해 데려가려는데...

오니1   (일본어)어림없지. 잡아!!

 도깨비5와 처녀, 달리기 시작하고, 오니1의 말에 다른 오니들 서너 명이 둘을 추격한다.

오니1   (일본어)제법이구나. 하지만 여기까지다!!

길달   네놈들이 무슨 꿍꿍이로 우릴 이용하는지 반드시 알아내고야 말겠다.
        놓치게 해주마!!

 길달과 오니1 사이에 전류가 흐르는 가운데, 길달의 검과 오니1의 지팡이 사이에서 불꽃이 튄다. 그것은 폭발로 이어지고, 그로 인해 반동이 생겨 길달과 오니1을 비롯한 주변인물들이 튕겨나간다.

한바탕 먼지가 일고, 전 인원이 쓰러져 있다.

잠시 후, 길달이 움직이기 시작하고, 오니1도 움직인다.

지친 길달의 시선에 쓰러진 동료들이 보이고, 오니1은 힘겹게 일어나 길달에게 다가간다.

오니1   (일본어)죽고 싶어서 안달이 난 것 같군. 명을 재촉하다니!!

오니1, 방망이로 길달의 머리를 내려친다.

머리를 쎄게 얻어맞은 길달, 기절해버린다.

기절할 때, 초점이 흐려지며 눈이 감기는 길달의 시점샷을 활용한다.

S#10 산 속 다른 곳(밤)

도깨비5와 처녀, 달린다.

도깨비5   저쪽!

도깨비5와 처녀, 외진 곳에 숨어서 풀과 흙, 낙엽 등으로 위장한다.

이어서 오니들 서너 명이 나타난다.

오니6   (일본어)어디 숨은 거야?! 이 쥐새끼들.

오니7   (일본어)잡히면 아주 작살날 줄 알아!!

오니8   (일본어)도망쳐 봤자다!!

오니6   (일본어)이 근방에 있겠지. 아직 멀리 가진 못했을 거야.
        모두 흩어지자. 서로 길을 나눠서 샅샅이 뒤져보면 나오겠지.

    오니들, 뿔뿔이 흩어진다.
    잠시 후, 외진 곳에서 도깨비5와 처녀가 작게 속삭이며 대화한다.
    처녀, 찢어진 치맛자락 일부분을 쪼개어, 자신의 다친 부분을 묶는다.

도깨비5   (안도의 한숨)에휴~, 끈질긴 놈들. 이제야 갔네.
             그건 그렇고, 아까 들어보니 저놈들이랑
             말이 통하는 것 같던데...
             어떻게 알아들은 것이오?!

처녀   ...

도깨비5   뭐, 얘기하기 힘들면...좋소.
             그럼 혹시 저놈들에 대해 아는 바가 있소?!

처녀   아무래도 왜에서 온 놈들 같소.

도깨비5   왜?! 그곳이 어디오?!

처녀   동쪽의 큰 섬나라요.

도깨비5   ...

처녀   아버지가 상인이었소.
         왜놈들과 거래가 잦았던 터에 따라다니면서 왜놈들의
         말을 배울 수 있었소.

도깨비5   그렇군.

처녀   녀석들이 이야기하는 걸 얼핏 들었소.
         아무래도 녀석들은 이번에 작정하고
         이 땅을 먹으려고 온 것 같소.

S#11 오니 산채(밤)

  몇 시간 전, 오니 산채. 그 모습은 일본풍이 강한 산적소굴
느낌의 공간이다.
  오니들은 방망이를 휘둘러서 감옥을 확장하고, 잔치를 벌인다.
  잔치가 벌어지면 오니들은 술에 취해 있고, 여인들을 끼고 노는
데, 관객의 입장에서 불편한 장면이므로, 간략하게만 묘사한다.

(처녀)   놈들은 마을에서 여인들을 납치해 올 때마다
         감옥을 확장하고 잔치를 벌였소.

  오니들은 술에 취해 흥청망청 댄다. 술에 취한 오니들은 편
의상 "술오니"로 표기된다.

술오니1   (일본어)하하하~!!
                조선 인간들 중에도 이렇게 예쁜 꽃들이 많으니
                아주 좋군. 매일같이 월척을 낚는 것 같지 않나?!

술오니2	(일본어)하하, 많으면 뭐하나?!
	이 나라가 그걸 지킬 수 있겠나?!

술오니1	(일본어)하하하, 그거 맞는 말이군.^^
	(옆에 낀 여인에게 조롱투, 일본어)
	조만간 여우를 잡을 거야. 너네 왕비지.
	그 여우만 잡으면, 조선은 우리 땅이 된다.
	하하하!!
	우리 날짜로 10월 8일, 근데 너네 날짜론 8월 20일.
	너네는 날짜개념부터 우리한테 뒤쳐져 있네?!
	하하하하하!!

이 말은 오니대장의 귀에 들어가고, 주변에 있던 처녀의 귀에도 들어간다.

다른 오니들이 술오니1의 말에 따라 웃는다.

하지만 오니대상은 그 상황을 불쾌하게 여긴다. 오니대장은 제법 연륜이 있어 보이면서, 오니들 중에서도 특히 더 무섭게 생겼다.

단단히 화가 난 오니대장, 그래서 술오니1에게 술병을 던진다.

쨍그랑!!

이에 다른 오니들이 모두 놀라고 분위기는 살벌해진다.

오니대장, 술오니1에게 다가간다.

오니대장	(일본어)멍청한 놈,
	내가 당일 전까지 작전애기 함부로 하지 말랬잖아!!
	근데 날짜까지 누설해?!!!!

술오니1　　　　　(두려워하면서도 변명, 일본어)
　　　　　　　　　대…대…대장, 그…그래봤자
　　　　　　　　　어차피 이년들이 뭘.

오니대장　　　　　(말을 끊고 방망이로 술오니1의 머리를 강타하며, 일본어)
　　　　　　　　　어디서 말대꾸야, 이 하급새끼가!!

　　방망이에서 전류가 흘러나오고, 술오니1은 감전되서 몸을 뒤튼다.

술오니1　　　　　(일본어)끄아아아악!!

　　이 상황을 바라보는 다른 오니들 및 여인들을 공포에 질려 있다.
　　오니대장, 방망이를 내리누르고 술오니1은 엎어지는데, 이어
서 오니대장은 바닥에 엎드린 술오니1을 무릎까지 꿇어가며 더
쎄게 누른다.

오니대장　　　　　(일본어)이 땅의 속담 중에 이런 말이 있다고 한다.
　　　　　　　　　"낮말은 새가 듣고, 밤말은 쥐새끼가 듣는다."
　　　　　　　　　함부로 나불대지 말란 말야!!

술오니1　　　　　(일본어)끅!!! 대…대장, 어…어차피!!
　　　　　　　　　이…이년들이 알아도…
　　　　　　　　　아…아무것도 할 수 없잖습니까!!
　　　　　　　　　그…그리고 저는!!
　　　　　　　　　단지…고…공포심을…자극시켜!!
　　　　　　　　　호…혼란을!!

오니대장   (일본어)그렇다고 날짜까지 함부로 말해서 쓰나?!
       모두 잘 들어!! 작전에서 날짜는 소중한 거다!!
       이건 공포심을 자극하는 게 아니야!!
       만에 하나, 듣고 도망이라도 친다면
       계획에 차질이 생기게 된다!!
       그냥 불안감만 조성하라고. 나대지 말고!!

술오니1   (일본어)죄...죄송합니다!!

오니대장   (일본어)그럼 죽어. 책임은 져야지!!

술오니1   (일본어)예?!

 오니대장, 방망이로 술오니1을 다시 내리치고, 술오니1은 불타게 된다.

술오니1   (일본어)끄아아아악!!!!!

 술오니1, 재가 된다.

오니대장   (일본어)오늘 잔치는 여기서 끝이다!!
       (재를 보고, 일본어)별 것도 아닌 놈이.
       술 맛 떨어지게...
       내 이래서 잔칫날 작전애기 하지 말란 거야!!

 이 광경을 보고 처녀 또한 겁먹은 표정을 짓고 있다.

오니대장   (일본어)부관!!

오니부관	(일본어)예!!
오니대장	(일본어)넌 애들 주의 안 주고 뭐했어?!
오니부관	(일본어)죄, 죄송합니다.
오니대장	(일본어)너도 저 꼴 나기 싫으면 교육 더 단단히 시켜.
오니부관	(일본어)알겠습니다.
오니대장	(일본어)얼른 정리해!

S#12 오니 산채-감옥, 감옥 밖(밤)

　넓은 감옥. 수십 개의 방들이 있다. 쉽게 표현하기 위해 감옥으로 표기했지만, 사실은 수용소다. 죄 없는 사람들을 강제로 가둔 곳이니. 그래도 수용소라는 표현이 기분나빠서 감옥으로 표기한다.
　흔히 사극에서 보는 감옥보다는 <귀향>의 수용소에 더 가깝다. 다만, 귀향이 그렸던 일제 강점기보다 더 구시대의 감옥풍으로 디자인되고, 일본풍이 섞여있는 느낌으로 구축되어 있다. 더 쉽게 표현하자면, 일본식 목조풍의 벌집형태라고 보면 된다.
　각 방엔 잡혀온 여인들이 한 명씩 갇혀 있다.

| 간수오니 | (일본어)혹시라도 오늘 온 사람들 중에 우리말 할 줄 아는 사람 있나?! |

　여인들은 겁에 질려 있다.

간수오니   (일본어)있으면 대답한다!!

  이때, 한 처녀가 조심스럽게 대답한다.

처녀   (일본어, 조심스럽게)저...

  간수오니, 처녀의 방 앞에 다가간다.

간수오니   (일본어)일본말 할 줄 아나?!

처녀   (일본어, 조심스럽게)조...조금 압니다.

간수오니   (일본어)그럼, 나머지한테 전해.
        혹시라도 오늘 일 얘기하는 거 있으면
        누구든지 무조건 죽인다고.

  처녀, 겁을 먹었지만 분노가 섞인 눈물을 흘린다.

<인서트-오니 산채 잔치 장면>

  오니들이 술에 취해 흥청거리면서 여인들을 건드린다.

술오니3   (일본어)그나저나 딱하다.
        이렇게 예쁜 꽃들이 곧 지게 생겼으니.
        그 전에 우리가 잘 데리고 놀아야겠는데?!
        하하하!!

술오니4   (일본어)히히, 어차피 적당히 데리고 놀다가
              쓸모없어지면 버리려고 데려온 것 아냐?!
              우리 노리갯감 아니었어?! 하하하!!

오니들   (큰 웃음, 일본어)하하하!! 맞는 말이네.

　오니들이 웃어대고 있고, 다른 여인들이 겁에 질려있는 가운
데, 오직 오니들의 말을 알아들을 수 있는 처녀만이 역겨운 오
니들에 대한 분노와 공포가 섞인 찝찝한 표정을 짓고 있다.

<다시 감옥>

　간수오니, 처녀가 우는 것을 보고 더 화를 낸다.

간수오니   (일본어)뭘 쳐 울고 있어?!
              얼른 큰 소리로 통역하라니까!!

처녀   (일본어)만약...만약에...안하면요?

간수오니   (어이없다는 듯이, 일본어)뭐?!

처녀   (일본어)말 안하면요? 말 안하면 안 죽일 건가요?!

간수오니   (일본어)뭐라고?!

　처녀, 분노를 상승시킨다. 워낙에 분노가 치밀어 올랐고, 공
포감과 섞여서, 울면서 욕을 한다. 마치 <침묵>에서 이하늬가
욕을 하는 화장실 장면처럼.

처녀   (일본어)말 안하면 안 죽일 거냐고, 이 씨발놈아.

　한편, 밖에선 보초 두명이 이 소릴 듣고 놀란다. 이들은 당황한 듯하다.

보초오니1   (일본어)어라?! 방금 여자 목소리였지?
              욕한 거 아냐?!

보초오니2   (일본어)그러게?
              조선 계집이 어떻게 우리말을 알았지?!
              (헛웃음)허허...

보초오니1   (일본어)히히, 명청한 것. 이제 끝장 나겠구만.

　다시 실내에서.

처녀   (일본어)아까 너네들 말하는 거 다 들었어.
         우리더러 노리개라매!!

　간수오니, 화를 내며 방망이로 문을 세게 친다. 그러자 문의 잠금장치가 풀린다.
　간수오니, 처녀의 방 안으로 들어간다.

간수오니   (일본어)지금 뭐라고 했어?!

처녀   (일본어)우리가 마냥 당하기만 할 줄 알아?!

간수오니   (일본어)이년이!!

간수오니, 처녀에게 달려들어 그녀를 때려눕히고 올라앉는다.

간수오니   (일본어, 비웃음)허헛, 그럼 어쩔 건데?!
                   진짜 제대로 노는 게 뭔지 보여줘?!

간수오니, 처녀의 치마를 잡고, 처녀는 발버둥 친다.

처녀   (일본어)이거 봐!!

처녀, 발버둥 치면서 빠져나가기 위해 몸을 옆으로 굴리는데, 그 와중에 치마가 찢어진다. 이에 간수오니는 더 거칠어진다.

간수오니   (일본어)이게 어딜!!

간수오니, 처녀의 저고리를 푸는데, 바로 그 순간, 처녀는 간수오니의 낭심을, 정확히는 불알을 차버린다. 이건 어디까지나 처녀의 공포의 순간에서 벗어나 살고자 발악하는 것이다.

간수오니   (두 손으로 불알 움켜쥐고, 일본어)크헉!!!
                   이게 감히!!!

처녀, 간수오니가 불알을 잡고 괴로워하는 사이, 저고리에서 은장도를 빼들어, 간수오니의 목을 그어버린다.

간수오니   (목에서 피를 쏟으며)컥!!

이어서 이번에는 처녀가 간수오니를 눕히고 그 위에 올라앉아서 그의 목을 짓눌러 조른다. 마치 <나를 찾아줘>의 "잔혹한 베드씬"처럼, 그렇게 상황이 역전된다. 이제 처녀에겐 아직 공포감이 남아있지만 독기가 추가되어 있다. 어디까지나 처녀의 행동은 살기 위한 발악이다.

처녀　　(일본어)니들 노리개 좋아하지?!
　　　　근데 거기에 뭐가 달려있는 줄 알아?!
　　　　은장도다. 씨발놈아!! 알겠나?!

　　간수오니, 정신을 잃고 죽게 된다.
　　가까스로 간수오니를 죽인 처녀, 일어나서 찢어진 치맛자락을 주워서 그것으로 몸과 은장도에 묻은 피를 닦는다. 그녀의 치마가 찢어졌지만, 다행히도 하체에 아직 속바지가 남아있다.

처녀　　(저고리를 정리해 묶으며, 힘이 좀 빠진 듯이 작은 소리로)
　　　　하아~, 이런
　　　　나쁜 새끼. 변태새끼가 더럽게 진짜...

　　다른 여인들, 처녀의 방 쪽으로 귀를 기울인다.

여인1　　무슨 일이오?!

　　처녀, 찢어진 치맛자락과 은장도를 든 채로, 여인1의 방 앞에 간다.

처녀　　간수 놈이 갑자기 달려들길래
　　　　(은장도를 살짝 들어올리고)이걸로 죽였소.

여인1   뭐요?!

여인2   아니 그러다가 딴 놈들이 알면 어쩌려고...

처녀   그럼 당하고만 있소?! 녀석들이 달려들어 그 짓을 하려는데?!
        게다가 아까는 나더러 오늘 일 말하면 다 죽는다고 하랬소.
        왜 그런 줄 아시오?!
        놈들이 우리 왕비를 죽이고 나라를 먹으려고 한다는
        걸 누설했기 때문이오.

    이 말에 다른 여인들, 놀란다.

여인1   아니, 뭐라고?! 그럼 그게 언제요?

    한편, 여성들의 대화소리가 감옥 밖 보초들의 귀에도 들어가
고, 그들은 상황이 이상하게 전개된다고 생각하게 된다.

보초오니1   (일본어)어? 근데 저거 조선말 하는 거 아냐?!

보초오니2   (일본어)어? 진짜네?!
                아니, 간수새끼 주의 안 주고 뭐하는 거야?!

보초오니1   (일본어)아니 뭔가 이상한데?!

    다시 감옥 안.

여인1   그래서 이제 어쩔 거요?

처녀   사람들한테 알려야죠. 같이 나갑시다.

여인1   어떻게?!

처녀   (쓰러진 오니에게 다가가며)
           아까 이놈이 문 두드려서 열었으니까
           이놈 몽둥이라면.

   처녀, 간수오니의 방망이를 만지려는 순간, 방망이에서 전기
가 발생한다.
   이에 처녀는 놀라면서 재빨리 손을 뺀다.

처녀   (놀라서)방금 보였소?! 뭔 몽둥이에서 번개가...

여인1   못 봤는데?!

   하지만 처녀방의 맞은편에 목격자가 있다.

여인3   난 봤소.

처녀   일단 몽둥이는 안 되겠소.

여인1   그럼, 먼저 나가시오.

처녀   예?

여인1   마음은 고맙소만, 문짝도 못 여니 나갈 수 없지 않소.
           게다가 우리가 한꺼번에 움직이면

녀석들한테 더 금방 발각될 거요.

그러니 혼자 먼저 가서 사람들한테 알리시오.

그런데 바로 이때, 보초오니 두 명이 들어와서, 상황이 발각된다.

보초오니1   (일본어)탈옥이다!!!

보초오니들, 처녀에게 달려든다.

보초오니2   (일본어)네 이년!!

여인들 어서 도망치시오!!

보초오니들이 방망이를 휘두르는데, 처녀는 놀람과 동시에 몸을 옆으로 피하고 순간적으로 은장도를 빼들어 바로 앞의 오니 한 명의 목을 찌른다. 그렇게 목 찔린 오니는 쓰러지는데, 이때, 쓰러지는 오니 뒤에서 다른 보초오니가 공격해온다.

겁이 나는 처녀는 순간적으로, 쓰러지고 있는 오니의 머리를 올려차서 그 뿔이 뒤쪽 오니의 몸에 박히게 한다. 처녀는 어디까지나 무서워서 살기 위해 발악하는 것이다.

몸에 뿔이 박힌 오니, 방망이를 놓치는데, 그 방망이는 반동에 의해 던져져서 한 여인의 방 문에 부딪히고, 문의 잠금장치가 풀리면서 방망이는 다시 튕겨진다.

그 순간, 처녀, 무언가를 떠올리고, 방금 죽인 오니 한 명의 시체를 마치 기절한 취객을 일으켜 세우듯이 붙잡아 세운 다음, 그 시체의 손을 이용해서 공중에 떠있는 방망이를 잡는다. 그런 다음, 오니 시체를 마치 인형 다루듯이 조종해서 주변의 문들을 두드린다. 그렇게 몇 명의 여인들을 해방시킨다.

하지만 이때, 밖에 있던 또 다른 오니들이 그 상황을 목격한다.

오니1   (일본어)저 년들 잡아!!

처녀   이런, 젠장!! 모두 흩어집시다!!

여인들은 달리기 시작하고, 산채의 소초에서 근무 중인 오니가 징을 친다.

오니1   (일본어)어딜 도망 가냐, 이년들!!

오니1, 처녀를 향해 방망이를 던진다.
처녀, 순간적으로 몸을 날려 방망이를 피한다. 처녀 뒤로 순식간에 날아간 방망이는 감옥의 벽이 박히고, 그 여파로 건물 전체에 균열이 생기며 모든 방의 잠금장치가 해제되어 문이 모두 열린다.

오니1   (약간 당황한 듯이, 일본어)젠장!!

그 상황을 본 처녀, 감옥 안의 여인들에게 소리친다.

처녀   (감옥 안의 여인들에게)모두 은장도를 드시오!!
        어떻게든 살아 나갑시다!!

하지만 그때, 벽에 박힌 방망이에서 강한 전류가 발생하고, 모두의 시선이 그곳으로 향한다.

처녀　(다급하게 큰 소리로 버럭!)빨리들 나오시오!!
　　　모두 피하시오!!

　이 말에 여인들이 모두 급하게 달려 나오고, 전류가 균열을 타고 무섭게 폭주하면서 감옥이 폭발한다. 그렇게 감옥 안에 있던 수백 명의 여인들이 모두 풀려나 오니들과 싸우기 시작하면서 현장은 아수라장이 된다.

　그 와중에 오니들 수십 명이 처녀에게 달려들고, 처녀는 달리면서도 비교적으로 가까운 담장을 찾는다.

　그런데 담장 높이가 대략 3m쯤이나 되는 것을 확인하고, 짧은 고민을 하게 된다.

그냥 넘기가 힘들다고 판단한 처녀는 무언가가 떠오른 듯, 자신이 들고 있는 "찢어진 치맛자락"을 본다. 사실상 현재 입고 있는 치마가 거의 다 찢어졌기에, 길이 상으론 치마원단 하나를 들고 있는 것이나 다름없다.

　담장을 넘을 방법을 떠올린 처녀, 찢어진 치맛자락 끝에 은장도를 묶는다.

　그때, 앞에서도 몇몇 오니가 달려와 공격한다. 처녀는 순간적으로 은장도를 던지고, 찢어진 치맛자락을 이용해 은장도를 휘둘러 앞에 있는 오니 중 한 명의 뿔을 자르면서 뒤에 있는 오니 한 명의 손을 베고, 다시 잘려나간 뿔을 뒤쪽으로 튕긴다.

　튕겨나간 뿔은 처녀 뒤쪽의 오니의 목에 박히고, 뿌리가 잘린 오니는 머리를 움켜쥐고 괴로워하며 무릎을 꿇는다.

　이에 처녀는 무릎 꿇은 오니의 어깨를 밟고 올라서 은장도를 담장의 기왓장에 꽂은 다음, 찢어진 치맛자락을 밧줄처럼 이용해 점프하는데, 그녀 앞을 한 오니가 또 막아서고, 처녀는 치맛자락으로 줄타기를 하면서 그 오니의 얼굴을 걷어차고 담장의 벽에 매달려서 치맛자락을 당기며 기왓장 위까지 힘겹게 올

라가서 은장도를 뽑는다. 그리고 바로 밖으로 뛰어내리려고 하
지만, 처녀에게 높이감에 대한 공포가 밀려와서 잠시 겁먹는다.

그런데 이때 처녀의 뒤에서 한 오니가 높이 뛰어올라 한손으
로는 그녀의 멱살을 잡고, 다른 손으로는 방망이로 공격을 시
도하는데, 처녀 또한 놀라면서 동시에 오니의 멱살과 (방망이
를 쥔) 손목을 잡고서 함께 밖으로 떨어지고, 이때, 땅이 자신
의 머리에 가까워지는 것을 보고 공포에 질린 처녀는 살기 위
해서 오니의 그곳을 발로 차고 순간적으로 몸을 틀어서 오니를
자신보다 아래로 향하게 한다.

그렇게 떨어져서 오니는 머리가 깨져 죽고, 처녀는 간신히
탈출하는 듯 싶은데, 이어서 수십 명의 오니들이 담장을 뛰어
올라 넘어온다. 오니들의 점프력은 초인적으로 강하기 때문에
뛰어오른다기보단 튀어오른다고 표기한다. 마치 팝콘 튀듯이
빠르기 때문이다.

그 광경을 본 처녀, 사력을 다해 숲을 향해 달린다.

S#13 산 속 다른 곳(밤)

도깨비5   더러운 놈들...
                 (불길하다는 듯이)그래서 우리를 이용한 건가?

처녀   어쩌면... (갑자기 이상하다는 듯이)근데 댁들은 뉘시오?

도깨비5   우린 도깨비들이오.

처녀   (놀라서)뭐요?!

도깨비5   놀랄 것 없소.
             우린 그대가 생각하는 야수들이 아니오.
             원래 뿔도 없고,
             수많은 세월을 인간들과 멀리 지내왔소.
             그런데 지금 놈들이 우리 이름을 팔고서
             만행을 저지르고 있고.

   바로 이때, 그들의 뒤에서 누군가가 도깨비5의 말을 끊고 달려든다.

오니9   (일본어)찾았다! 요놈들!!

도깨비5   젠장!!

   도깨비5, 처녀를 데리고 달린다.
   하지만 그들은 막다른 곳에 다다르게 된다. 그곳은 절벽이
고, 수십 미터 아래엔 강이 흐르고 있다.

오니9   (일본어)이제 너희들이 갈 곳은 없다.
         더 힘 빼지 말고 항복하시지.

처녀   (일본어)네놈들한테 항복할 거면 아예 나오지도 않았어!!

오니9   (일본어)하긴... 어차피 기대도 안 했지
         결국, 힘으로 제압하는 게 언제나 그렇듯
         가장 현명한 방법인가 보군!

   오니들의 공격이 시작되고 싸움이 벌어진다. 그러던 중, 오
니 한 명이 처녀에게 달려드는데, 처녀가 그것을 막으려다가

함께 절벽 아래로 떨어진다.

도깨비5   (처녀가 떨어진 쪽을 보고)안 돼!!!!

이때, 또 한 오니가 도깨비5의 뒤통수를 가격하고, 도깨비5,
그 충격으로 엎어진다.

오니9   (일본어)멍청한 놈. 감히 우릴 고생시켜?!

오니10   (절벽 아래를 보고, 일본어)
         밑에 떨어진 년도 잡아야 하지 않아?

오니9   (절벽 아래를 보고, 일본어)됐어.
         이 정도 높이면 죽었을 거야.
         더 힘 빼지 말고, 저놈만 데려가자고.

도깨비5의 시점샷. 오니들, 도깨비5의 머리를 방망이로 한
번 더 가격하고, 도깨비5, 기절한다.

S#14 오니 산채(밤)

길달의 시점 샷으로, 눈을 뜨면서 장면이 시작된다.
길달, 기력을 회복하고 있다.
길달과 도깨비들은 포박되어 있는데다가, 나무기둥에 묶여 있다.

도깨비2   대장, 정신이 드십니까?

길달   여긴...어디지?

도깨비3   놈들 소굴입니다.

길달   소굴이라...그럼, 대체 왜 우릴 살려둔 걸까?

도깨비4   좀 전에 역관이라는 놈이 와서
              조선의 파멸을 보여주려고 그랬다 하더군요.
              그 밖에 다른 말은 없었습니다.
              그놈은 유일하게 우리말을 하는 놈인데,
              그 가짜 인장도 그놈이 만들었답니다.

길달   젠장...도대체 어디서 온 놈들인지.

도깨비5   왜에서 왔다고 합니다. 동쪽의 섬나라라고 하더군요.

  길달, 도깨비5의 목소리를 듣고 놀란다.

길달   (도깨비5를 보고)네가 어찌 여기 있느냐?! 여자는 어쩌고?!

도깨비5   (면목이 없는 듯)죄송합니다.

  이때, 문 열리는 소리가 들린다. 오니대장의 침소 문이다.
  도깨비들의 주의가 집중된다.
  오니대장의 침소에서 나오는 제복 차림의 남자. 오카모토 류
노스케다.
  오카모토의 뒤를 이어서 기모노를 대충 걸친 낭인들이 칼을
들고 따라 나온다. 사실, 거의 벗은 것에 가깝다.
  낭인들을 보는 길달.

낭인들의 칼 클로즈업. 칼에는 피가 묻어있다.

그리고 마지막으로 나오는 낭인은 찢어진 옷들을 들고 나온다.

찢어진 여인의 옷들을 들고 나오는 낭인을 본 도깨비들, 분노한다.

길달　　이런, 개새끼들!!!!

오카모토, 묶여있는 도깨비 일행들을 보고서 오니대장을 부른다.

오카모토　　　　(일본어)이보시오, 오니대장.

오니대장, 나와서 오카모토에게 간다.

오니대장　　　　(일본어)왜 그러시오?

오카모토　　　　(일본어)저들은 누구요?

오니대장　　　　(일본어, 도깨비들을 가리키며)도깨비라는 자들로,
　　　　　　　　이 땅의 요괴들이오.

오카모토　　　　(일본어)조선의 요괴들이오?

오니대장　　　　(일본어)그렇소.

오카모토　　　　(일본어)오호, 조선의 요괴들이라...

오니대장　　　　(일본어)우리에게 이 땅의 인간들한테
　　　　　　　　공포를 심어달라 하지 않았소?

오카모토   (일본어)맞소.

오니대장   (일본어)그 공포심이 가끔은
             분노와 적개심을 낳기도 하지 않겠소?!

오카모토   (일본어)맞는 말이오.

오니대장   (일본어)당신들은 우리에 대해서 학문적으로 연구했고,
             우리 또한 당신들과 왕래하면서 서로 친해줄 수 있었소.
             하지만 이 땅은 그와 정반대더구려.
             그러니 그 관계를 잘 이용하면,
             재미난 볼거리를 만들 수 있지 않겠소?!

오카모토   (일본어, 감탄)오호?!
             그것 참 좋은 생각이구려. 하하.
             아무튼, 계획에 차질이 없도록 잘 진행해주시오.
             이제 여우를 잡는 날이 얼마 안 남았소.
             그러니 조금만 더 수고해 주시구려.

오니대장   (일본어)알았소. 그럼, 살펴 가시오.

  오카모토, 낭인들을 이끌고 나간다.
  오니대장, 오니부관에게 가서 말한다.

오니대장   (일본어)저들을 풀어주게.

오니부관   (오니대장을 보고, 믿을 수 없다는 듯이, 일본어)네?!

오니대장   (일본어)군이 잡아둘 필요가 없네.

오니부관   (일본어)하지만, 대장,
             저들은 매우 쓸모 있는 자들입니다.
             그래서 죽이지 않고 여기 데려온 건데,
             어찌 풀어주라 하십니까?!

오니대장   (일본어)내가 저들을 왜 풀어줄 것 같나?!
             이 땅 요괴들은 인간과 섞이기를 싫어하지.
             비록 좀 전의 탈옥사건이 상당히 언짢았지만,
             (도깨비5를 가리키고, 일본어)
             저놈이 그 계집과 같이 있었다지 않았나?!

오니부관   (일본어)예. 단 둘이 나머지와 따로 떨어져서
             같이 있었다고 합니다.

   이에 오니대장, 은근히 살기를 품고 말한다.

오니대장   (일본어)그 계집은 우리말을 할 줄 아니까
             분명히 둘이서 대화를 했을 거야.
             너희들이 쥐새끼 하나 못 잡고 질질 끌었으니까
             그동안에 자기가 들은 얘기 다 했겠지.

오니부관   (면목 없다는 듯이, 두려움이 섞인 듯이, 일본어)
             죄송합니다.

오니대장   (웃음기와 살기가 섞여 있게, 일본어)후훗,
            아닐세. 지나간 일은 놔두지.
            내 더 이상의 책임은 묻지 않겠네.
            다만, 운 좋은 줄 알아두라고.
            만약 저들이 주변에 그 애기를 전하면
            반응이 어떨지 궁금하지 않나?

  오니부관, 오니대장의 말뜻을 이해한 듯이 묘한 미소를 짓는다.

오니부관   (일본어)아~하... 알겠습니다.

  길달, 일본어를 알아듣지는 못하지만, 둘이 대화하는 모습을
보면서 의심스러워하는 표정을 짓는다.

S#15 오니 산채 입구(밤)

  어두운 산 속, 일본풍의 대문이 열리고 도깨비 일행들이 밖
으로 내던져진다. 포박은 풀어져 있는 상태.
  문 안쪽엔 오니부관과 다른 일본요괴들이 서있다.

오니부관   (조롱투, 일본어)이제 가도 좋다.
            어디를 가든, 무엇을 하든, 너희들 마음대로 해봐.
            단, 한 가지만 잘 생각해 봐라.
            무엇이 이득일 지를...
            과연 이 썩은 땅에서 너희들이
            얼마나 잘 살 수 있을까?!
            으흐흐흐흐흐....아하하하하하하하!!!!

이어서 대문이 쾅! 하고 쎄게 닫힌다.
땅에 쓰러져 있는 도깨비들, 분노한다.

길달   (땅을 짚으며)이런, 씨발!! 통역이라도 해주던가!
        아무튼 두고 보자!!

도깨비들, 일어난다.

도깨비들, 걷기 시작한다. 오니들의 산채로부터 멀어지기 위해서.

도깨비2   대장. 근데 저 새끼들이 우리를
              갑자기 풀어준 이유가 뭘까요?!

길달   이건 풀어준 게 아니라, 모욕감을 준 거다.
        뭔가 또 다른 꿍꿍이가 있겠지.

길달, 걷다가 무언가를 떠올린다.

길달   (걸음을 멈추며)잠깐!

다른 도깨비들도 길달을 따라 걸음을 멈춘다.

길달   (도깨비5에게)너 그 여자한테 뭐 들은 거 있어?

S#16 어느 강, 숲(밤)

처녀가 떨어진 절벽 아래 어느 강.
잔잔한 강물 위에 오니의 시체 하나가 엎드려 떠다니고, 시체의 등 위에는 처녀가 엎드려서 기절해 있다.

　죽은 것처럼 보이는 처녀. 하지만 다행히도 서서히 움직이기 시작한다.

　처녀, 간신히 깨어난다.

　정신이 몽롱한 처녀, 자신의 현 위치가 강물 위라는 것을 겨우 알아차리고, 오니가 죽었음을 확인한다. 그 후, 주변을 살피고, 오니 시체를 뗏목으로 삼고 자신의 팔을 저어서 강가로 향한다.

　처녀, 강가에 정착해 내리고 주변을 살핀다. 황량한 강가엔 오직 숲으로 향하는 길만 있을 뿐이다.

　처녀, 조심스럽게 숲으로 향하고, 숲속 한가운데에서 허름한 집 한 채를 발견한 다. 집 안에는 불이 켜져 있고, 처녀는 몸을 녹이고자 그쪽으로 향한다.

　처녀, 조심스럽게 집으로 향하는데, 집에서 갑자기 한 여인이 나오더니 처녀를 목격하고 알아본다.

여인　　당신은?

　처녀, 누군가 하고 생각하다가 알아보고 기뻐한다.

<플래시백-감옥 대화 장면>

여인1　　먼저 가시오.

<다시 현재>

처녀　　당신... 다행히 살았군요?

여인은 감옥에 있던 여인1이다.

여인1   녀석들이 혼란한 틈에 용케 도망쳤지.
물론, 몇 놈을 상대하는 위험도 있었지만...

처녀   혹시 다른 사람도 있소?!

여인1   현재는 우리 포함해서 다섯이오. 다들 쉬고 있고
나머지는 모르겠소.
그나저나 고맙소. 다들 항상 두려워만 했는데,
당신이 행동한 덕분에 모두들 풀려나면서
용기를 얻을 수 있었소.

처녀   (겸손하게)과찬이오. 솔직히 나도 두렵소. 지금 이 순간에도...
다만, 마냥 당하고만 있을 순 없어서 행동했을 뿐이오.
그리고 놈들은 우릴 노골적으로 노리개 취급했소.
또, 험한 말을 나더러 통역하라고 했소.
나는 더 이상 견딜 수가 없었소.

여인1   하긴... 놈들 말을 알아들었으니 더 화날 만도 했겠군.
그래. 이제 어쩔 생각이오?

처녀   쉽진 않겠지만 녀석들과 맞설 생각이오. 죽는 한이 잇더라도.

여인1   (웃으며)우리와 같은 생각이군.

여인1, 한 손을 내민다.

여인1 어떻소? 우리와 함께 가지 않겠소?!
       혼자서 맞서기는 벅찰 것이오.
       그러니 함께 생존자들뿐만 아니라 온 마을
       모든 여성들을 모아 여성들만의 단체를 만드는 거요.
       그래서 최소한 조선 여성들도
       성깔이 있다는 것을 저놈들에게 보여주는 거요.

   처녀, 다소 심각하게 고민한다.

처녀   내 생각과 같지만... 걱정되진 않소?!
       아무리 사람을 모은다고 해도 상황은 열악할 것 같소.
       자칫하면 애써 모으는 단원들 모두 다 죽게 될지도 모르오.
       게다가 남자들이 쉽게 도와줄 것 같지도 않고...

여인1 어차피 이래 죽으나 저래 죽으나 죽기는 마찬가지요.
       그리고 남자들은 돕든 안 돕든 상관없소.
       사내들은 출세에만 관심 있지.
       우리 집안 여자들은 예로부터 이리 저리 끌려 다녔소.
       기생집과 양반 집에 끌려 다녔소,
       호란 때도 끌려갔다 왔소.
       그런 다음엔 대대손손 화냥년,
       호로자식 취급당하며 살아왔지.
       남자들 도움은 전혀 상관없소. 도와준다면 받긴 하겠지만,
       굳이 구하고 싶진 않소.
       그들은 보호라는 명목으로 우릴 약자 취급하며
       집안일이라는 틀에 가두고 자신들의 욕구를 위해
       이용해왔을 뿐이니까.
       물론, 모두가 다 그렇진 않겠지만.

처녀   겁은 나지만 상관없다 이거군.

여인1   그리고 한 가지 제안할 것이 있소. 우리 대장이 되어 주시오.

처녀   (당황한 듯이)대장?!

여인1   다들 당신은 꼭 살기를 바랬소. 놈들의 말을 알아들으면서,
        무엇보다도 우리들에게 용기를 주지 않았소?!
        게다가 싸움도 잘 하는 것 같고...

처녀   다 운이 좋았을 뿐이오.

여인1   (웃으며)우리가 당신을 만난 것보다 더 큰 운이 어딨겠소?!
        그리고 지금까지의 힘든 과정을 치러냈는데,
        그에 비하면 상대적으로 쉽지 않겠소?!
        그러니 우리 대장이 되어주시오. 모두가 바라고 있소.

     처녀, 잠시 고민하다가 결정을 내린 듯이 웃으며 여인1의 손
을 잡아 악수를 한다.

처녀   (웃으며)좋소. 함께 싸웁시다.

S#17 마을(아침)

     어느 불탄 집 앞에 피범벅이 된 커다란 보따리가 놓여 있고,
마을 사람들이 주위에 모여 있다. 보따리에는 가짜 도깨비 인
장이 붙어있고, 피는 바닥으로 새어나와 흥건하게 흘러있다.

주민1   세상에나...또 이게 뭔 일이랴?! 도대체 몇 번째야?!

주민2   어젯밤에 갑자기 이 집에 불이 나고 어떤 놈들이
        처녀를 데려가더니...
        이 꼴이 된 모양이군. 쯧쯧...

주민3   또 그 도깨비란 놈들 짓인가?!

주민4   쳐 죽일 놈들!

주민5   말조심해! 이놈들한테 잡히면 뼈도 못 추린댜.
        이놈들 방망이질 한방이면 땅이 갈라진다더라니까?

　모두가 분노와 공포를 느끼고 있는 가운데, 유독 더 강하게
분노한 표정을 짓고 있는 한 사내가 클로즈업된다. 대략 20대
중반에서 30대 초반으로 보이는 사내. 그의 이름은 '요괴들의
적이 되려는 사람'이라는 의미에서 "요적"이라 한다.

S#18 마을회관(아침)

　거의 교실 한 칸 정도 규모의 작은 회담장에 40명 정도의 주
민들이 모여 있다.
　다들 약간의 공포와 강한 분노를 느끼고 있다.

요적   또 한 명의 희생자가 발생했습니다.
        벌써 처녀들이 토막으로 발견된 것만 열여덟 번째죠.
        게다가 이 밖에도 수많은 사람들이 죽었고,

불타버린 가옥 또한 한둘이 아닙니다.

주민1　젠장... 언제까지 당해야 하는 거야?!

요적　더 이상 당하고만 있을 순 없습니다.
　　　그동안 우린 녀석들의 횡포 때문에
　　　공포와 두려움 속에서 살아왔습니다.
　　　하지만 녀석들의 횡포가 계속될수록 적개심도 커져왔죠.
　　　이제 더 이상 단 한 명의 희생자도 나와서는 안 됩니다!
　　　특히 여인들은 더더욱 지켜야합니다!!

주민들　(힘차게)옳소!!

요적　이젠 우리가 두려움을 뒤로하고, 저들과 맞서야합니다!!
　　　저 도깨비라는 놈들이 어떤 놈들인지는 몰라도,
　　　우린 스스로를 지키기 위해 싸워야합니다!
　　　설사 저놈들의 방망이질에 우리들의 머리가 박살나고,
　　　몸뚱이가 찢어질 지언정!!
　　　우리 스스로를 위해, 마을을 위해, 처녀들을 위해!!
　　　그리고 아이들과 후손들을 위해!! 맞서 싸워야합니다!!

주민들　(더 힘차게)옳소!!

　　대다수의 주민들이 힘차게 한마음으로 옳다고 소리치는 가운데, 누군가가 흐름을 깬다.

주민2　잠깐!!!!

요적   ...?

주민2   그래서 어떻게 할 것이오?!
        알다시피 우리 마을은 수많은 건물들이 불탔고,
        열여덟 명의 처녀들이 납치되고 주검으로 돌아왔으며,
        사내들과 아이들 또한 수없이 많이 죽었소.
        이런 상황에서 우리가 과연 저놈들과 싸워서
        얼마나 오래 잘 버틸 수 있겠소?!

요적   그럼, 당신은 이대로 있자는 거요?!

주민2   그런 것이 아니요. 나도 댁들처럼 분해 죽겠소!
        하지만 감정만 앞세워서 어찌 저들에게 맞설 수 있겠소?!
        생각해보시오. 우리에게 저놈들과 맞설 힘이 있소?!
        아니면 무기가 있소?!
        아니면 도와줄 자들이 있소?! 또는 돈이 있기라도 하나?!
        내 소문을 들어보니, 나랏일 하는 놈들은
        자기들 밥그릇 챙기기에만 바쁘고,
        궁 짓는다고 백성들 마구잡이로 불러다가 노예짓 시키고
        돈도 안 주면서, 당백전인지 뭔지는 괜히 만들어가지고
        물가 오르고, 그따위로 해가지고는
        군납용 쌀에 돈 없다고 모래를 쳐 넣어서
        관군들도 빡쳐서 난을 일으키는 등,
        지금 나라 전반적으로 악재가 이만저만이 아니라고 하오.
        왕이랑 시아버지랑 계속 싸워대고, 왕비는 사치에,
        시아버지는 똥고집에...
        이런 좆같은 상황에서 어떻게 저놈들과 맞서겠다는 것이오?!

요적   물론, 당신의 말처럼 현재의 상황은 상당히 열악하오.
　　　　하지만 그렇다고 해서 우리가 놈들과 싸워서
　　　　이길 가능성이 아예 없는 것은 아니오.
　　　　방금 관군들이 난을 일으켰다고 하지 않았소?!
　　　　그렇다면 그들도 큰 피해를 봤을 것이오.
　　　　그만큼 그들의 힘은 약화되었고,
　　　　조정에 대한 그들의 반감이 확연하게 높아졌을 것이오.
　　　　그 점을 활용해서 그들의 무기를
　　　　우리가 차지하는 것이 어떻겠소?!

주민2   그게 쉬울 것이라고 보시오?!

요적   쉽지는 않겠지. 하지만 가능성은 있소.
　　　　게다가 우리 마을만 피해를 본 것이 아니라고 하오.
　　　　전국적이라고 들었소.
　　　　그래서 다른 마을의 생존자들과 힘을 합치면
　　　　승산이 있지 않겠소?!
　　　　그리고, 만약 이 모든 것이 실패로 돌아간다고 하더라도,
　　　　하다못해 우리들이 가지고 있는 농기구라도 집어들고
　　　　나서서 싸웁시다!!
　　　　설사 다 죽는다 하더라도, 발악이라도 한번 제대로 해봅시다!!

　　요적의 의지에 주민2도 수긍한다.

주민2   좋소. 그대의 뜻이 그러하다면...
　　　　강한 의지로 힘을 합쳐 싸운다면!! 나도 함께하겠소!!

요적   그럼 모두 함께 싸웁시다!!

주민들 (아주 힘차게)싸웁시다!!

S#19 운현궁(낮)

　좁은 처소엔 탁자와 의자, 잠자리만 있다.
　대원군, 혼자 의자에 앉아서 무언가를 고민하고 있다.
　이때, 밖에서 천하장안이 그를 부른다.

천하장안　　　나으리, 공사관에서 사신이 왔사옵니다.

　대원군, 썩 달갑지는 않지만 사신을 들인다.

대원군　들라 하라.

　사신, 상자를 들고 들어온다. 그는 한국말을 할 줄 아는 자다.

왜사신5) 안녕하셨습니까, 대감?!

대원군　지난번에도 분명히 말했을 텐데?!
　　　　난 당신들의 일에 낄 생각이 전혀 없다고.

왜사신　알고 있습니다. 하지만 공사께서는 대감을 도와
　　　　기회를 드리고자 하십니다.
　　　　소통을 편하게 하기 위해서 조선말을 할 줄 아는 저를
　　　　특별히 보낸 것이죠.

_____

5) 형식적으로는 대원군에게 예를 갖추는 듯하나, 사실은 조롱을 하는 인물.

대원군   그렇다면 돌아가시오!! 내 뜻은 변하지 않소!!

왜사신   에이, 그러지 말고 애기라도 들어보시지요.^^
          (상자를 탁자 위에 올리고)이렇게 선물까지 준비해 왔는데,
          성의 좀 생각해 주시죠, 대감.

대원군   관심 없소.

왜사신   (상자를 열어 대원군에게 내밀며)
          공사께서 특별히 신경 써서 잡은 전어입니다.
          최상급으로 엄선했지요.
          조선에서는 전어가 집 나간 며느리도 돌아오게 한다고 들었습니다.

대원군   뭐요?!

왜사신   이참에 대감께서 직접 며느리에게 선물하시는 건 어떻겠습니까?
          혹시 모르잖습니까. 대감께 좋은 일이 생길지도.

     대원군, 전어를 보니 심기가 더욱 불편해진다. 다시 사신을
보면, 사신은 은근히 웃고 있다.

대원군   (상자를 닫고 다시 사신에게 내밀며)무슨 뜻인지 알겠소만,
          누구 좋은 일인지 모르겠소. 그러니 도로 가져가시오.
          조선의 모든 며느리가 전어에 돌아오진 않소.
          내 며느리가 딱히 좋아할 것 같진 않구려.

왜사신   에이, 그래도 한번...

대원군   (사신의 말을 끊고)내 분명 가져가라고 했소.
         하는 말마다 독을 품고 있으니,
         이 전어도 온전할 것 같진 않구려.

왜사신   에이, 어찌 저 따위가 감히 대감한테 독을 품을 수 있겠습니까?!

대원군   그대만이 아니라 공사도 품고 있는 것 같소.

왜사신   공사께선 단지 대감과 조선을 위해서 신경 쓰시는 것뿐입니다.

대원군   그럼, 그만하라고 하시오!
         고래들 싸우는 데 괜히 끼어들면 등이 터지는 법이오!

왜사신   (자신만만한 웃음)하하~!!
         그래도 새우로서는 고래들 싸움을 봐야
         세상을 알 수 있지 않겠습니까?
         어떤 고래가 자기 친구가 될 수 있을지, 적으로 남을지,
         또는 그 싸움이 자신에게 득이 될지, 해가 될지,
         봐야지 알 수 있지요.
         결국 등이 터지는 건, 새우가 가만히 있다가
         싸움에 휘말리기 때문이 아닐까 싶습니다.

대원군   (어이없다는 듯한 웃음)허허~,
         과연 고래가 새우랑 친구가 될 수 있겠소?!

왜사신   그건 모를 일이지요.

대원군   (반어적, 큰 웃음)하하하하하!!!!
　　　　말을 참 재밌게 하시는구려.
　　　　고래가 새우랑 친구가 될 수 있다는 발상이 나올 줄은
　　　　감히 상상도 못했소.
　　　　하하하!! 정말 기가 막히구려!!

왜사신   (반어적, 큰 웃음)하하하!! 과찬이십니다.
　　　　한낱 새우가 어찌 큰 고래의 높은 뜻에 비할 수 있겠습니까?
　　　　하하!!

대원군   하하!! (상자를 가리키며)알았으니 이건 가져가시오.
　　　　썩 좋아할 것 같지 않소. 나도 그렇고.

왜사신   그럼, 알겠습니다. (상자 들고 일어서서)이건 도로 가져가지요.
　　　　(나가려다가 다시 대원군을 보고)
　　　　아, 그래도 다시 한 번 잘 생각해주십시오.
　　　　공사께서는 대감과 친구가 되고 싶어 하십니다.
　　　　저도 마찬가지입니다.

대원군   미안하지만 난 새우 취향이 아니오. 얘기는 잘 전해주시오.

왜사신   알겠습니다. 그럼, 이만 물러가지요.

　　사신, 대원군한테 인사하고 나간다.
　　처소 안엔 찝찝한 표정을 짓고 있는 대원군만 남는다.

S#20 요괴 회담장(낮)

회담장엔 다양한 요괴들이 모여 있다. 장산치와 길달을 비롯해, 쥐요괴를 대표하는 일촌법사, 강철이와 인간 사이에서 탄생한 강철아, 삿갓을 쓴 외발요괴인 제생요마, 65개의 팔을 가졌지만 과거에 잘리고 두 개의 팔만 가지고 있고 쇠로 된 이마를 가지고 있는 치우, 구미호를 대표하는 매구, 어린아이 형상의 그슨대와 새타니 등이 있다.

장산치　몸은 나아졌느냐?!

길달　예.

장산치　다행이군.
　　　　　나도 오백 년쯤 더 젊었을 때는 너처럼 회복이 빨랐지.
　　　　　물론, 지금도 거뜬하긴 하지만...
　　　　　그래, 어떤 놈들이냐?!

길달　왜에서 온 오니라는 놈들입니다.
　　　　이 땅의 놈들이 아닙니다.

장산치　왜의 요괴들이라...그것 참 이상하구나.
　　　　　외지의 놈들이 왜 이 땅에서 일을 벌일까?!

길달　그놈들은 이 땅을 장악할 작정으로 우리를 이용하고 있습니다.

치우　이 땅을 장악한다?!

길달   자신들의 영향력을 높혀 이 나라에 대한 지휘권을
      쥐려고 하고 있습니다.
      그리고 자신들의 걸림돌이인 이 나라의 왕비를
      죽이려고 하고 있죠.

치우   왕비를 죽여?! 인간 왕비 죽는 게 우리랑 무슨 상관이 있지?!

길달   바로 그 때문에 우릴 이용하려는 것입니다.
      인간들을 해쳐서 공포를 조성한 다음에
      우리의 이름을 내걸어 이 땅에 혼란을 주려는 수작입니다.

일촌법사   무슨 상관이지?! 인간들은 늘 우릴 두려워했어!!
          이제 와서 갑자기 이상하게 여길 것도 없지 않나?!

길달   문제는 놈들이 우리를 미끼로 내걸었다는 겁니다.
      이 때문에 인간들은 놈들이 아니라 우릴 두려워하고,
      노릴 것이란 말입니다!

일촌법사   (별로 개의치 않는다는 듯이)
          그래봤자 아직 너희 도깨비들만 건드린 것 아닌가?!
          귀신을 부린다는 비형인가 뭔가 하는
          인간놈한테 놀아난 한심한 놈들...

길달   (어이없다는 듯이)어찌 말씀을 그렇게 하십니까?!

일촌법사   (건방지다는 듯이)뭐야?!
          다 죽어가는 놈 살려줬더니만 눈에 뵈는 게 없구만!!
          (버럭!)지금 대드는 거야?!!

길달   우리 도깨비들만 조선의 요괴입니까?!
       다른 여러분들은 이 땅의 요괴가 아닙니까?!!
       놈들은 이 땅의 왕비를 죽여서 인간들은 물론
       우리들까지 지배하려고 하고 있습니다!!
       게다가 놈들은 자국의 인간들과 손을 잡았어요!!

   이 말에 대부분의 요괴들이 놀란다.

그슨대   이럴수가...

강철아   말도 안 돼...

닷발   옘병할...

일촌법사   흥!!

제생요마   어떻게 요괴가 인간이랑 손잡을 수 있지?!

장산치   놈들은 아무래도 우릴 인간들과 싸우게 만들 작정인 것 같군.
       대책은 있나?!

길달   이 땅의 인간들과 싸우게 되면,
       피해는 걷잡을 수 없게 커질 것입니다.
       아무래도, 이 땅의 인간들에게 먼저 다가가
       오해를 풀고 협력하는 것이 옳다고 생각합니다.

   이 말에 많은 요괴들이 어처구니없어하며 놀란다.

일촌법사   뭐?!

새타니   어?!

그슨대   아니, 뭐?!

치우   말 같지도 않은 소리 집어쳐!!

제생요마   내 다리나 내놓으라고 해!!
             한쪽 다리 잘라간 더러운 놈들!!

일촌법사   흥! 놈들의 반응은 둘 중에 하나다.
             우릴 보고 겁에 질려서 내빼거나,
             먼저 공격하려 들거나!

S#21 일촌법사의 과거

\<산\>
  어린 쥐요괴가 중얼거리며 걸어간다. 몹시 야위었으며, 옷차
림은 거지꼴이다.

(일촌법사)6)   내가 어렸을 적의 일이다.
                서식지에 식량이 떨어져서 도움을 청하러
                속세로 나섰던 적이 있지.

---

6) **(인물)=인물(E)**: 화면(또는 씬)에 나타나지 않는 인물의 대사가 삽입될 때.

\<마을\>
　산을 내려온 어린 쥐요괴, 마을로 향한다.

(일촌법사)　　　하지만 인간들은 나를 보자마자
　　　　　　　　대뜸 괴물이라며 피하고 죽이려 했지.

　어린 쥐요괴, 저잣거리에서 구걸을 하려는데, 사람들이 무기를 들고 달려든다.

주민들　　　　요괴가 나타났다!! 죽여라!!

　어린 쥐요괴, 놀라서 도망친다.

(일촌법사)　　　나는 살기 위해서 도망쳐야만 했고,
　　　　　　　　그 와중에도 다른 인간들을 보면,
　　　　　　　　"제발 도와주십시오. 살려주십시오." 하고
　　　　　　　　도움을 청할까 생각도 해봤지만,
　　　　　　　　인간들은 내게 그런 말을 할 기회조차 주지 않더구나.

　어린 쥐요괴, 도망치다가 잡화상점 앞에 이르는데, 주인은 놀라서 도망치고, 쥐요괴는 추격자들에게 붙잡혀서 폭행을 당한다.
　잡화상점 앞은 난장판이 되고, 쥐요괴는 사람들에게 두들겨 맞다가 진열대에 부딪히고 넘어진다. 이때, 진열대에서 떨어지는 거울들...
　어린 쥐요괴, 두들겨 맞으면서 떨어진 거울들을 우연히 보게 된다.

(일촌법사)　　　그 후, 처음으로 거울을 봤을 때 나는 깨달을 수 있었다.
　　　　　　　　그들이 내 겉모습을 전부로 생각한다는 것을 말이다.

울컥하는 쥐요괴, 분한 심정으로 인간들에게 반격을 가하기 시작한다.

어린 쥐요괴, 자신을 패던 인간 한 명의 다리를 붙잡고 낭심에 일격을 가해 날려버리면서 비장하게 일어선다.

(일촌법사)   그래서 난 더 이상 도망치지 않고,
              그들과 맞서기로 했다.
              내 뜻을 알려고 하지 않는 그놈들이 생각했던
              공포의 대상이 되기로 했지.

어린 쥐요괴, 거울을 집어 들고, 이글거리는 눈으로, 거울 속의 자신을 바라본다.

(일촌법사)   썩을 놈들...
              누군 이렇게 태어나고 싶어서 이렇게 나온 줄 알아?!
              좀 흉측하게 생겼으면 뭐가 어떠냐구!!

분노한 어린 쥐요괴, 쥐고 있던 거울을 인간들을 향해 던져버린다. 던져진 거울은 쥐요괴를 패던 인간무리 중 한사람의 머리에 부딪혀서 깨진다.

쥐요괴, 손톱을 날카롭게 세우고 인간들을 할퀴어댄다. 그렇게 인간들 몇 명을 쓰러뜨리는데, 어디선가 화살이 날아오고, 쥐요괴는 간신히 피한다.

화살이 날아온 방향으로 고개를 돌리는 쥐요괴, 비교적 먼 거리에서 한 인간이 활시위를 당기고 있다.

이때, 쥐요괴의 근처에서 또 다른 한 인간이 검을 들고 달려들고, 쥐요괴는 그 검을 빼앗아서 검의 주인을 죽인 다음, 바닥의 거울 조각을 발로 찬다. 그런 다음, 차여서 공중에 높게

들어 올려진 거울 조각을 검을 이용하여 뒤로 튕겨낸다.

튕겨진 거울조각은 마치 박찬호가 던진 야구공처럼 빛의 속도로 날아가서, 활시위를 당기고 있던 한 인간의 머리통을 뚫어버린다.

<주막>

피투성이가 된 어린 쥐요괴, 주막에 들어선다.

인간들은 혼비백산해서 달아나고, 배고픈 쥐요괴는 인간들을 사냥하고 음식까지 빼앗아 먹는다.

(일촌법사)   그렇게 인간들을 증오하게 되었고,
                싸우고 죽여가면서, 인간들의 살을 뜯어먹고,
                인간의 음식을 훔치면서 가까스로 살았던
                힘든 시기가 있었다.

<주막-곳간>

어두운 곳간, 어린 쥐요괴가 웅크리고 앉아서 울먹이며 식재료들을 먹는다.

그곳의 식재료를 다 먹고도 허기가 채워지지 않는지, 기어다니는 바퀴벌레도 먹고, 지네도 먹고, 심지어는 생쥐도 먹는다. 울면서 먹는다.

그때, 닫혀있던 곳간 문의 열리고 빛이 들어온다.

어린 쥐요괴, 빛을 향해 시선을 돌린다.

빛이 있는 곳에서 문을 열고 서있는 큰 덩치의 사내, 마치 구원자처럼 보인다.

(일촌법사)   장산치 어르신께서 날 구원해주시기 전까지 말이다.

S#22 요괴 회담장(낮)

길달   여러분들의 인간에 대한 증오심과 경계심을 모르는 건
  절대 아닙니다.
  그러나 지금은 큰 위기를 막기 위해서 인간들을 도와야 합니다.
  저놈들이 이 땅을 장악하면, 우리들에 대해서도
  지배와 억압을 행할 구실과 권력이 생기게 됩니다.
  그렇게 되면 식민지의 요괴라는 이유로 부당하게
  괴롭히고 죽이는 만행을 막을 도리가 없겠죠.
  절망의 연속이 될 겁니다.
  게다가 지금 우리의 병력으로 저들을 막는 건 무리입니다.
  저 왜의 요괴들은 이 땅을 침략할 만한 병력을
  충분히 갖추고 있습니다.
  자국의 인간 군인들까지 힘을 합하고 있고요.
  그에 비하면 우린 인간들과 교류가 거의 없어서
  그들의 문물을 받아들일 수 없었을뿐더러,
  서로 적대관계만 유지해 왔습니다.
  또, 수백 년 동안 체계적으로 전투훈련이라도 한 적이
  단 한번이라도 있었습니까?!

일촌법사   그래서 인간들과 손을 잡겠다고?!

길달   지금과 앞으로 불어닥칠 커다란 위기와 절망을 생각하면
  그 방법밖엔 없습니다.
  우리가 힘을 모으고 이 땅의 인간들과도 힘을 합쳐야 합니다.
  그러지 않고서는 놈들을 이길 수가 없습니다.
  설사 이긴다고 쳐도 과연 얼마나 살아남을지 의문입니다.

이에, 사람이 뱀으로 변하게 된 형상의 요괴인 '상시뱀' 이 말한다.

상시뱀   얼마든지 와보라지.
            나의 사랑을 집착으로 단정지은 인간이라는 존재들과,
            어줍잖은 외부의 요괴들 따위는 얼마든지 다 죽일 수 있어!

길달   (흥분해서)놈들은 그렇게 만만한 존재가 아닙니다!
            게다가 그들의 계획 명칭이 뭔지 아십니까?!
            여우사냥입니다!!

길달의 말에 구미호들의 수장인 '매구'가 민감하게 반응한다. 그녀는 천년 묵은 구미호지만, 그 사실이 믿기지 않게 신비롭고 아름다운 외모를 갖추고 있다.

매구   (놀라며)여우사냥?!

길달   그들은 인간 왕비와 여우를 동일시하고 있습니다.
            그러면 그 명칭과 비슷하게
            이 땅의 여우들도 씨를 말리려고 하지 않겠습니까?!

매구   (분노하며)우리도 요즘 선뜻 건드리지 않는 생인들을
            허구한 날 죽여대는 것도 모자라,
            이젠 우릴 노골적으로 건드리려고 하는군!!
            (주먹을 부들부들 거리며)씨발것들...
            우리가 만만한 노리갠 줄 아나...

길달   빨리 막지 못하면, 녀석들이 그렇게 만들 수도 있습니다.

장산치　　그만!!

길달　　　예?!

장산치　　너의 말은 알겠다. 그 뜻은 이해하지만,
　　　　　절대 허락할 수 없다.

길달　　　어르신!!

장산치　　그래, 너는 그것이 우릴 위한 최선이라고 생각하겠지.
　　　　　하지만 우리에겐 엄격한 규칙이 있지 않나?!
　　　　　선대의 수장들이 수천 년 동안 이어온 불문율을
　　　　　너도 알고 있지 않느냐?!
　　　　　요괴는 인간의 일에 절대 개입하지 않는다!

　길달, 점점 더 흥분한다.

길달　　　지금은 평소와 다릅니다!!
　　　　　지금 놈들은 그 점을 이용해 우릴 옭아매는 겁니다!!

장산치　　놈들이 먼저 공격해온다면 그에 맞서야겠지.
　　　　　하지만 인간들과 손잡고 일을 벌일 생각은 하지 마라!
　　　　　그들은 자연을 져버린 존재들이고,
　　　　　우린 수천 년을 지켜온 불문율과
　　　　　그 덕분에 유지된 평화를 지켜야 한다!!
　　　　　이것이 수장으로서의 내 역할이고,
　　　　　그것을 책임져야 하는 자로서
　　　　　불문율을 하루아침에 깨뜨리려는 네놈의 주장을

용납할 수 없다!

길달   지금 놈들이 이미 먼저 공격을 한 겁니다!!
          혼란에 빠뜨릴 정신적인 공격을!!
          지금은 불문율만 고집할 때가 아닙니다!
          다 죽을 셈입니까?!
          그리고 그 평화가 영원할 것 같습니까?!
          지금 무너지고 있습니다!!

장산치   (상을 탁 치고 일어나며 버럭!)이놈!! 말조심해라!!
          네가 수장인 줄 아느냐?!

길달   천만에요!! 전 그저 최악의 상황을 막고 싶을 뿐입니다!!
          고집에만 치우치지 마시고
          부디 무엇이 모두를 위한 길인지 잘 판단해주십시오!!

장산치   (앞에 있는 벼루를 내던지며)이놈!!
          더는 듣기 싫으니까 당장 꺼져라!!

길달   예!

  길달, 일어나서 나가려고 문을 여는데...

장산치   다시는 회담장에 발 들여놓지 마라!
          그 순간, 이곳은 네놈의 지옥이 될 것이다!!

길달   (뒤돌아보고)알겠습니다.
          그럼, 저 나름대로 최선의 길을 찾을 수밖에요.

　　　　이곳이 저만의 지옥이 될지,
　　　　모두의 지옥이 될지는 두고 봐야 알겠지요.
　　　　전혀 보고싶지 않지만...

장산치　뭐라?! 이런 괘씸한 놈!!

길달　놈들이 왜 저를 살려줬을까요?!

장산치　뭐?!

길달　그게 궁금했는데... 이제야 알겠군요.
　　　　그럼, 어디 잘 해보십시오!!

　길달, 문을 쎄게 닫고 나가버린다.

일촌법사　　　　저놈이 감히!!

치우　고얀 놈!!

　장산치, 분노를 참기 힘든 듯이 으르렁 거리는데, 그 소리는 마치 쇠를 긁는 소리처럼 소름끼치는 소리고, 어느새 손톱이 날카로워져 있다.

S#23 구미호 산채(밤)

　구미호 산채의 외관은 화려한 연회장처럼 알록달록한 호롱불과 연등이 공중에 떠 있고, 건물 내부는 커다란 기방의 형태인데, 규모는 굳이 비유하자면 블레이드 앤 소울의 토문객잔이나

킬빌 1편의 술집과 맞먹는다. 장식은 한국식으로 아기자기하게
되어 있으며, 대화는 회의실에서 진행된다.

회의실 또한 규모가 크다.

회의실엔 구미호의 수장인 매구, 지혜로운 사람처럼 변하는
늙은여우 '노호정', 피부가 아름다운 노파로 변하는 '노구화
호' 등 다양한 여우요괴들이 있다.

길달 지난번에 말씀드린 것처럼, 녀석들은 이번 일을
'여우사냥'이라고 칭하고 있습니다.
만약에 녀석들이 왕비를 죽이고 나면,
다른 어떤 요괴들보다도 여우요괴들에 대한 압박과
천대가 선행될 것입니다.

매구 그렇겠지.

길달 게다가 마을에서 어리고 예쁘장한 처녀들은
모조리 잡아들이는 모양입니다.
제가 녀석들한테 잡혀있을 때만 해도,
한 처녀가 끔찍한 일을 당하고 살해되었지요.
그리고 그 죗값은 저희한테 씌웠고요.
따라서 이번 일은 절대 그냥 넘어갈 일이 아닙니다.

매구 동감이네.

길달 헌데, 장산치 어르신께선 계속 불문율만 고집하시니...
우리라도 위기를 막아야 하지 않겠습니까?!

매구 우리라도?!

노구화호   어떻게 막는단 말인가?!

길달   매구님께서 필두로 저희와 손을 잡아주시고,
          다른 요괴들이 동참하는데 도움을 주셨으면 합니다.

노호정   그럼 우리들 사이에서도 싸움이 날 수 있지 않겠나?!

길달   그럼 이대로 다 죽습니까?!

매구   절대 그렇게는 안 되지!

길달   게다가 저들은 여성을 노리고 있습니다.
          이는 여우이면서 여성의 권위가 높은
          여러분들에 대한 도전이라고도 생각합니다.

매구   절대 용납 못한다! 감히 여우와 여성들을 건드려?!

길달   맞습니다. 절대 용납해서는 안 됩니다!

노호정   (매구를 보고 걱정하듯이)하지만 감정만 앞세우는 건
          무리입니다!

노구화호   (마찬가지로 매구를 보고 걱정하듯이)
          저희도 화가 나지만, 장산치 어르신과
          다른 요괴들의 반대가 만만치 않을 겁니다.

매구   물론, 그들의 반대가 만만치 않겠지.
       그리고 그들의 입장을 이해하지 못하는 것도 아니다.
       하지만, 그렇게 불문율만 마냥 고집했다가는
       우리가 놈들에게 당하기만 할 것 같구나.

노호정   하지만...

매구   우리를 위한 일이다.
       여우사냥이라는 말이 나오고 여성에 대한 잔혹한 만행이
       드러난 이상, 우리 종족의 미래를 위해
       무슨 수를 써서라도 그놈들을 막아야 한다!
       우릴 막는다면 그 누구도 용서하지 않는다!
       그게 설령 같은 조선요괴랄지라도.

노구화호   하오나...

매구   우리가 살아있는 놈들의 간을 맛본 지가 얼마나 됐지?!

노호정   (잘 생각나지 않는다는 듯이)한...100년 쯤...
       되었을...겁니다.

매구   하도 오래 전 일이라서 기억이 정확하지 않은가 보구나.

노호정   예에.

매구   그동안 우린 전쟁터나 묘지를 떠돌아다니면서
       죽은 자들의 간만 먹어왔다.
       옛날에야 억압받던 인간들 몇몇이 우리에게 청을 해서

나쁜 놈들의 간을 빼먹은 적이 몇 번 있긴 하다만,
인간과 몇 차례의 전쟁이 있은 후에 불문율이 생기면서
우린 더 이상 생인의 간을 맛볼 수 없게 되었지.
그것은 한때 우리 모두를 절망에 빠지게 했었다.
그런데 지금은 하늘이 우리에게 생간을 맛볼
기회를 준 것 같구나.
하지만 잘못하면 놈들에게 먹힐 수도 있다.
그러지 않기 위해서는 우리가 놈들을 사냥해야 한다!!
알겠나?!!

여우들   예!! 알겠습니다!!

길달   감사합니다. 매구님. 이렇게 뜻을 함께 해 주시니.
그리고 신라 때 비형랑에게서 도망칠 때 여우로 변해서
물의를 빚었던 건 다시 한 번 사죄드리겠습니다.
(고개 숙이며)죄송합니다.

매구   앞으로는 그렇게 여우를 욕먹이는 일이 절대 없도록 하게.
그리고 뭐, 다 우리 살자고 하는 거니까...
살기 위해선 가끔씩 기존의 사고방식과 맞서야 할 때도 있지.
그럼, 다른 이들도 더 모아야 하지 않겠나?!
뜻을 함께 할 동료들 말이야. 다음은 누군가?

길달   (뿌듯한 미소를 지으며)이미 염두에 둔 자들 몇 명이 있습니다.

S#24 강철아의 집(밤)

  어느 낡아빠지고 누추한 초가집. 어두칙칙한 내부엔 두세 개
정도의 촛불이 듬성듬성하게 놓여 있고, 온돌이나 침대 따위
대신에 침낭만 놓여 있고, 낡고 썩은 탁자 앞엔 길달과 강철
아, 새타니, 그슨대가 앉아있다. 바닥도 낡고 썩어서 싱크홀같
이 큰 구멍이 송송 뚫려 있다. 그래서 탁자와 의자, 침낭은 흙
바닥에 놓여 있다.
  새타니와 그슨대는 어린아이의 형상을 한 요괴들이다.

길달   잘 생각해봐, 동생들아. 너네 평생 이렇게 살 거야?!
       안 지겨워?!
       뭐, 나라고 썩 잘사는 건 아니지만, 이게 뭐냐?!
       최소한 잠자리는 멀쩡해야지. 안 그래?!

강철아 뭐...걍...그럭저럭...

새타니 그래도... 이... 정도면...

그슨대 글쎄...

길달   그래. 평소 같으면 내가 이런 말 안 해.
       근데 지금은 상황이 더 나빠질 가능성이 높단 말이야.
       놈들이 이 땅을 장악하면, 너네는 이보다도 더 괴롭게 살아야 돼.
       그리고 싶진 않잖아?!

강철아 하긴...그건...그렇지?!

길달 그리고 다른 요괴들은 다 으리으리한 산채는 장만하고 산다.
      이건 너무하다고 생각하지 않아?! 무슨 흉가도 아니고...
      여기서 살아있는 게 신기하다. 이게 요괴가 살 환경이니?!

  이에 다른 요괴들은 짜증을 낸다.

강철아 아 그럼 어떡해?!
        집이라고 내준 게 이따윈데 뭐 어쩌라고!!!!

그슨대 누군 평생 이렇게 살고 싶어서 이러는 줄 알아?!

새타니 우리도 최소한 형처럼 만큼은 살고 싶다고.

길달 아니, 이걸 준다고 그냥 받아?! 한심한 녀석들...
      좀 고쳐달라고 라도 하든가. 이게 뭐냐?!
      다 썩은 걸 집이라고 주고.

강철아 (짜증내면서 억울해한다.)말을 했지. 이미 옛날에 했어.
        근데 뭐라고 했는지 알아?!

길달 뭐라고 했는데?!

강철아 잠이라도 좀 제대로 잘만한 데로 주면 감사하겠습니다 했더니...
        인간여자와 불순한 관계에서 나온 잡종새끼가
        먹여주고 재워줬더니 배부른 소리하고 자빠졌다고
        난리를 치더라고. 다들!! (중얼거리듯이)씨발 진짜...

길달 이런...

강철아   내 아버지인 강철이...용으로 태어나서 인간과 눈이 맞았지.
         그 때문에 요괴 피 더럽혔다고 사형당하고, 어머니도 없고,
         나 혼자 구사일생으로 살았는데,
         목숨 살려줬다고 막 이래라 저래라 부려먹고,
         집 좀 달라니까 대충 이딴거 주고,
         좀 제대로 달라니까 욕이나 처 해대고,
         몇 번 더 했다가 아주 뒤질 뻔했어.
         게다가 얘네들도 그래.
         새타니는 인간일 때 지 엄마한테 버려져서 굶어
         죽었는데 되살려내가지고 몇백 년 동안 허드렛일이나 시키면서
         인간자식이라고 무시했잖아. 그슨대도 애라고 무시하고.

그슨대   개새끼들...

새타니   너무해!!

길달   그러니까 지금 너희들이 나서는 게 좋지 않겠냐?!
         지금 이 체제에 만족해?! 아니잖아.
         그리고 이게 영원할 것 같아?! 불안하잖아. 안 그래?!
         그러니까 우리 지금의 위기도 막고 더 좋은 세상을 위해
         힘을 합쳤으면 한다.
         최소한 잠은 제대로 자야지.

      길달의 말에 강철아와 새타니, 그슨대는 고민하고, 갈등한다.

강철아   (깊게 고민하며)아...
         나도 솔직히 장산치 어르신이랑 다른 요괴들...

좀 그래. 꽉 막힌 것 같기도 하고...
근데...우리가 저들을 이길 수 있을까?!

새타니   (겁난다는 듯이)좀...무서운 게...
          하면 또 왕창 깨지기만 하는 거 아냐?!

그슨대   그래도 난 할래.
          어리다고 무시하는 거 차는데도 한계가 있지.
          가끔은 무서워도 해야 하는 그런 거 있잖아?!

길달   오, 그래? 각오가 좋군.
          하지만 혼자가 아니야.

강철아   어?!

길달   구미호들이 도와주기로 했다.
          그러니까 마냥 겁낼 필요는 없어.
          어때?! 이래도 같이 할 생각 없어?!

강철아   음...일단 지원군이 더 있다니까 안심이 되네.
          뭐, 좀 겁나긴 하지만 나도 돕겠어.

길달   새타니, 너는?!

새타니   글쎄....음...
          좋아! 나도 싸우겠어!!
          더 이상 인간 소생이라고 무시당하진 않겠어!!

길달   그래. 지금 내가 그 적같은 놈들 음모를 다 알고 와서
      위기를 잘 넘겨야 한다고 하는데, 위
      기는 뒷전이고 고집만 부리고 있으니...
      우리라도 이 땅의 요괴들을 지키자!!
      스스로 살 길을 찾자!!

그슨대 그래!! 좀 잘 살고 싶다고!!

강철아 잠깐!!

  갑자기 조용해진다.

길달   왜?!

강철아 근데 우리랑 구미호들만으로는 아직 무리 아니야?!

길달   더 모아야지. 우리가 잘 살려면 판을 더 벌려야 하지 않겠어?!

그슨대 누가 도와주는데?

새타니 혹시 비형랑도?

길달   (짜증)여기서 갑자기 비형 애기가 왜 나오냐?!

새타니 (비형을 그리워하듯)그냥... 살아있다면 혹시 모르잖아.

길달   (답답하다는 듯이 한숨 쉰다.)아휴~, 벌써 죽었겠지...
      아무리 대단해도 어차피 그래봤자 갠 인간인데...

그리고 난 개 또 보기 싫다.

강철아　근데 비형은 어떻게 지냈을까?!

길달　(귀찮다는 듯이)몰라...
　　　　뭐 또 다른 요괴나 귀신들 잘 부려먹다가 갔겠지...

강철아　도대체 비형이랑은 잘 지내다가 왜 갑자기 트러진 거야?!
　　　　여우로 변했던 이유는 또 뭐고...

길달　글쎄다... 워낙 오래 되서 기억도 잘 안 나고...
　　　　하기도 싫고...
　　　　가슴만 아프다. 그만 해라.

강철아　변신은... 이젠 영영 못하는 거야?!

길달　힘들다. 거의 불가능하지. 능력도 잃었고...
　　　　할 필요도 없었고...
　　　　니들은 행여 변신술 같은 거 막 배우거나 하지 마라.
　　　　나처럼 변신 잘못했다가 병신 될라.

강철아　비형도 아니면 그럼 도대체 누가 도와주는데?!
　　　　우리편에 둘 더 든든한 자들이 있어?!

길달　니들 혹시 전에 녹두장군님 본 적 있냐?!

S#25 지리산 근처 논(새벽)

새벽녘에 아무도 없는 논을 허수아비가 외롭게 서서 지키고 있다. 그 허수아비 앞에 길달이 이끄는 도깨비 무리가 나타난다.

길달일행의 등장에 요기7)를 감지한 허수아비가 움직이기 시작한다. 그래봤자 기둥에 묶인 사람처럼 자리를 옮길 수는 없지만...

허수아비   요괴로군. 주변에 인간은 없었소?!

길달   아무도 없었소.

허수아비   좋아. 하긴 인간이 가까이에 있었으면
내 몸이 반응하질 않았겠지.
그래, 어디서 온 누구고, 용건이 뭐요?!

길달   인왕산에서 온 도깨비대장 길달이오.
우투리 장군께 말씀드릴 것이 있어 왔소이다.

허수아비   무슨 말씀인지 물어봐도 되겠소?

길달   장군께 직접 말씀드려야하오.

허수아비   그럼, 알겠소. 잠시만 기다리시오.

잠시 후, 허수아비 뒤의 땅이 갈라지더니, 그 아래에서 작은 측간건물 하나가 올라온다.

---

7) 요기=요괴의 기운. '요력'이라고도 한다.

허수아비   들어가시오. 겉보기엔 1인용처럼 보여도,
              안은 넓을 것이오.

  길달의 일행들이 건물로 들어가면, 바로 문이 닫히고 건물은
다시 땅 속으로 사라진다.
  건물의 내부엔 도르레들이 있고, 문이 닫히는 순간 도르레들
이 자동으로 작동한다. 도르레가 작동하면서 바닥이 아래로 내
려가는데, 이것은 조선시대풍의 승강기나 다름없다.

S#26 녹두굴

  길달 일행이 승강기를 타고 내려온 곳은 깊은 지하의 땅굴이다.
  땅굴의 승강기 앞엔 날개 달린 말 두 마리가 대기하고 있는
데, 말의 생김새는 녹두로 반죽해서 만든 것처럼 생겼다.
그래서 녹두말이다.
  녹두말들은 탈 인원수에 맞게 수레차를 준비해뒀다. 길달 일
행이 총 6명이므로, 선두에 선 말 뒤로 1인용 수레차 6대가 1
열로 연달아 묶여있고, 그 뒤에 다른 말이 묶여서 후방을 지탱
하는 역할을 한다.
  각 수레차는 가마에 수레바퀴를 단 형태다.

녹두말1   타시오. 장군이 있는 곳으로 안내하겠소.
              처음이시오?

길달   전에 다른 곳에서 우투리 장군을 뵌 적은 있으나,
         이렇게 본거지에 찾아오긴 처음이오.

녹두말1   뭐, 그렇군. 알겠소.
　　　　　　　내 가면서 차차 설명해 줄테니 일단 타시오.
　　　　　　　우리가 좀 바쁘니까...
　　　　　　　당신들 데려다주고 또 냇가에 가서
　　　　　　　하루종일 울다 와야 하오.
　　　　　　　그래야지 인간들이 장군께서 살아계신다는
　　　　　　　것을 믿을 수 있거든.

도깨비2   인간의 일에 장군이 개입하고 있었소?!

녹두말1   뭐, 이 정도를 개입이라고 하긴 애매하지 않소?!
　　　　　　　그들의 일상에 관여하는 건 아니니까
　　　　　　　개입이라고 하기엔 무리라고 생각하오.
　　　　　　　단지 인간 소생으로써, 억압받는 백성들에게
　　　　　　　약간의 희망을 주는 장군의 너그러운
　　　　　　　마음에서 비롯된 하나의 전통이지.
　　　　　　　아무튼 빨리 타시오.
　　　　　　　자세한 건, 가면서 이야기합시다.

　　도깨비들, 가마에 오른다. 길달이 가장 앞 가마에 오른다.

녹두말2   탔으면 빨리 안전밧줄들 묶으시오!

　각 수레차의 한쪽 손잡이엔 밧줄이 묶여져 있다. 도깨비들은
이 밧줄을 이용해 수레차와 자신을 한 몸으로 고정시키고 반댓
쪽 손잡이에 묶는다. 조선판 안젠벨트다.

녹두말2   다리 앞에 있는 막대기들 끌어당기시오.
              그게 당신들을 안전하게 만드는 장치니까.

　　각 수레차 탑승자의 다리 앞엔 굵은 나무로 된 T자형 막대가
있는데, 이것은 조선판 안전바고, 도깨비들은 그것을 몸 쪽으
로 당겨 고정시킨다.
　　각 수레차의 형태는 지붕이 없는 가마에 수레바퀴, 안전밧
줄, 나무로 만든 안전바가 갖춰진 형태다. 쉽게 말해서, 조선
판 롤러코스터다.

녹두말1   그럼, 출발합니다!! 손잡이들 꽉 잡으시오!!

　　말들이 드디어 달리기 시작한다. 가속도가 붙는다.
　　그들 앞엔 낭떠러지가 있고, 선두인 녹두말1이 점프하면서
이륙이 진행된다.

　　도깨비들은 잠시 놀란다.

도깨비들   뜨아아아아!!!!

녹두말1   곧 적응될 거요! 걱정 마시오!
              한때는 수직으로 360도도 돌았지만
              그건 너무 피곤해서 질렸으니까
              걱정할 필요 전혀 없소!^^

　　녹두굴의 허공엔 부유도(하늘에 떠다니는 섬)가 여러 개 있
고, 그곳에 건축물들이 있다. 녹두 요괴들에겐 삶의 터전인 공간이다.
　　잠시 후, 날아가면서 대화가 이어진다.

녹두말1	우리의 생김새가 왜 이 모양인지
	궁금하지 않소?! 내 알려주겠소.
	일단 우투리 장군의 과거에 대해서 아시오?!

도깨비2	어려서부터 비범했다고 들었소.
	겨드랑이에 날개가 달려서 태어났다고도 들었고.

녹두말2	장군은 농부의 아들로 태어났고,
	비범한 출생에 대한 소문이 퍼지자,
	높은 권력을 가진 인간들이 장군의 일가를
	죽이려고 안달이었지.

길달　일전에 장군이 인간의 소생이라고 들은 적이 있소.

<수묵담채화>
　녹두말1이 이야기하는 "우투리의 전설"이 수묵담채화로 화면에 나타난다.

(녹두말1)	맞소. 하지만 장군의 부모는 신분이 천했고,
	그 비범한 능력 덕에 천한 신분의 인간들
	사이에서 단숨에 영웅으로 거듭났지만,
	높은 신분과 권력을 쥔 상위 인간들은
	절대로 천한 계급의 영웅을 용납하지 않았소.
	그리하여 장군 일가에 대한 탄압이 시작됐고,
	장군의 부모는 어린 장군을 데리고
	지리산으로 숨게 된 것이오.
	그러나 곧 관군들이 들이닥쳤고,

그들이 장군의 부모를 고문하자
가슴아파한 장군은 놈들과 맞서 싸웠소.
비록 어린 나이였지만, 힘이 장사였고,
놀라울 정도로 잘 싸웠지만,
겨드랑이에 놈들의 화살을 맞는 바람에
숨을 거두고 말았소이다.
장군이 처음 숨을 거둘 때,
무덤에 좁쌀과 콩, 팥을 함께 묻고 3년만
기다리라는 유언을 부모에게 남겼다고 하오.
그리하여 무덤의 바위 밑에서 주술로
가까스로 부활하여 세력을 키울 수 있었지.
그런데 3년을 딱 하루 남긴 순간에
그 바위가 갈라졌소이다.
갈라진 바위 위에선 적장으로 보이는 자가
억새풀을 들고 있었소.
그리고 빛이 지하로 들어오자마자,
장군과 군사들은 모두 녹아버렸소.

<녹두굴>
　다시 녹두굴이다.

도깨비3　　　그럼 어떻게 살 수 있었소?!

녹두말2　　　일단, 우리 말들 중 일부가 살아난 건 기적이었소.

S#27 녹두말2의 과거회상

<냇가>

말 한 마리가 냇가로 간다. 그리고 그것을 어느 천민이 본다.

(녹두말2)　　　　우리가 사흘 밤낮동안 울다가 냇가로 들어간 것을
　　　　　　　　신분이 천한 인간이 보고
　　　　　　　　장군이 살아있으리라고 믿은 모양이오.

<마을>

말이 냇가에 가는 것을 목격한 천민이 마을 저잣거리에서 사람들을 모아서 소문을 낸다. 그리고 그것을 유심히 듣고 받아 적는 사람이 있다.

<사설 연구실>

사설 연구실은 말 그대로, 학자들이 모여 있는 곳이다. 저잣거리에서 소문을 받아 적은 사람은 연구실의 일원이고, 그는 다른 학자들을 모아서 소문과 우투리의 전설에 대해서 연구한다.
　다만, 이곳은 집현전같은 정식 연구소가 아닌, 사설 연구실이라서 다소 어두운 느낌이 풍긴다.

(녹두말2)　　　　이후 그들은 우리에 대해서 연구하기 시작했소.
　　　　　　　　어떻게 해야 우리를 완전히 되살릴 수 있을지를
　　　　　　　　신분이 높은 자들의 눈을 피해 오랫동안
　　　　　　　　아주 조금씩 연구했지. 눈치 보면서,
　　　　　　　　들킬까봐 걱정했다는 기록이 있더군.
　　　　　　　　물론, 부활에 관한 기록은 이젠
　　　　　　　　선택된 자들만이 볼 수 있고,

일부는 유실되었지만...

세월이 흐르고, 학자들은 늙고, 그 자식뻘 되는 젊은이들이 새로운 학자들이 된다.

(녹두말2)　　　아무튼, 연구 속도가 아주 느려서
　　　　　　　수많은 세월이 흘러서야 겨우
　　　　　　　우리 모두를 되살릴 수 있었다고 하오.

<사설 연구실 앞마당>
학자들은 부활에 관한 연구를 하고, 부활제사를 지내기로 한다. 그리하여 부활에 필요한 요소들을 모으는데...
부활제사 당일, 마당에 놓인 물품을 관리하는 사람의 표정엔 불길함이 묻어나 있다. 불길한 표정 클로즈업.

(녹두말2)　　　그러나 제사 직전에 도대체 누가 부정타는 짓을 했는지...

콩, 팥, 녹두가 화면에 보인다.

(녹두말2)　　　원래는 콩, 팥과 함께 좁쌀이 있어야 하는데...

녹두가 클로즈업된다.

(녹두말2)　　　누군가가 좁쌀을 녹두로 바꿔치기 한 모양이오.
　　　　　　　그 때문에 우리 꼴이 이렇게 변하게 되었고,
　　　　　　　삼년이 지났는데도,
　　　　　　　햇빛을 보면 몸이 녹는 저주가 걸렸지.

<과거의 녹두굴>

녹두군사들이 확장공사에 매진한다. 광산의 작업 현장이나 다름없다.

(녹두말2)   게다가 우리도 먹고 살아야 했기에 땅굴을 확장했고,
                더 이상 콩만으로는 갑옷을 만들기에 무리라서
                광물을 채취해야만 했소.
                그래서 깊어지게 된 것이고...

<논>

새벽이다. 녹두군사들이 교대근무로 논을 지키면서 작물을 조금씩 채취한다.

(녹두말2)   새벽이 되면 교대근무로 인간의 논을
                대신 지키면서 작물을 채취하는 일을 하기도 하지.
                우리도 먹고 살아야 하니까.

녹두군사들이 물러나는데, 해가 뜬다. 이에 뒤처지던 녹두군사 한 명이 녹아버린다.

(녹두말2)   그러다가 한 녹두군사가
                떠오르는 태양을 보고 녹은 후에
                우리 저주의 심각성을 깨달았지만...

<현재의 녹두굴>

길달   장산치 어르신과는 어떻게 알게 되었소?

<과거의 녹두굴 훈련소>
 녹두군사들이 훈련을 하는데, 장산치의 무리가 온다.
 장산치와 우투리의 대화가 이어진다.

(녹두말1)   제사로 부활하고 나서 몇 달이 지난 때였소.
                   우리가 세상에서 악인들을 소탕하기 위한
                   훈련 중이었는데, 그쪽에서 먼저 찾아와서
                   인간의 편에 서지 말고 요괴들끼리 돕고 살자고
                   하더군.
                   하지만 장군은 어느 편도 아니라, 그저
                   옳은 일을 할 뿐이라고 하셨소.

<현재의 녹두굴>

길달   그래서 요괴들 사이의 권력과는 멀어지게 되었군.
          인간의 일에 절대 개입하지 않는다는 우리의 불문율과는
          거리가 있으니.

녹두말1   원래 권력에는 관심이 없고,
             부당함은 참지 못하시는 분이시오.

녹두말2   따지고 보면 이건 인간들 일에
             그렇게 개입하는 것도 아닌데...

도깨비4   그럼, 하나만 더 물읍시다.
             장군은 지금 아기의 모습을 하고 있소?

길달   아니다. 예전에 봤을 때는 어른의 모습이었다.

녹두말1   녹두제사의 부작용 중에 또 하나가 있었소.
          장군의 기골은 어린아이의 모습이라고
          할 수 없을 정도로 장대해졌고,
          날개가 없어졌소. 얼굴도 조금은 삭게 되었고...

도깨비5   그 저주를 해결할 방법은 없소?!

녹두말2   백년이 넘게 세월이 흘렀는데도,
          아직 완벽한 방법을 찾지 못했소.
          그 때문에 바깥 구경도 해가 없을 때만 가능하고,
          방법을 찾기 전까지 녹두군사들은
          매일같이 훈련을 하고 있소.

도깨비4   도대체 어떤 놈이 좁쌀이랑 녹두를 바꾼건지...

녹두말1   이제 또 꽉 잡으시오. 곧 착륙할 것이니...

    매우 커다란 종유석이 녹두말1 앞을 막고 있다.

도깨비1   뭐라고?!

    선두인 녹두말1은 수직으로 방향을 바꾼다. 이어서 일행들이
탄 수레차는 마치 롤러코스터처럼 급강하한다.
    탑승자들은 전원 비명을 지른다.

도깨비들   뜨아아아아!!!!

수백 미터를 90도로 급강하한 수레차는 가까스로 정면으로 각도를 바꿔서 착륙하고, 수백 미터를 달리다가 멈춘다.
그곳에선 수백 명의 녹두군사들이 훈련 중이고, 녹두군사들 몇 명이 길달 일행을 마중 나와 있다.
몰골이 초췌해진 길달 일행들.

녹두말1   어서들 내리시오. 이제부턴 저들이 안내할 것이오.

녹두말2   안전 막대기를 앞으로 밀고,
             안전밧줄을 풀고 내리면 되오.

길달의 일행들, 안전막대기를 밀고, 밧줄을 풀고서 내린다.
내린 후엔 자신들의 초췌해진 몰골을 깔끔하게 정리한다.

녹두말1   그럼, 우린 이만.

녹두말들, 어디론가 급하게 올라간다. 빛의 속력으로.

S#28 녹두굴-녹두군사 훈련소

녹두말 수레열차에서 내린 길달의 도깨비 일행들은 마중 나온 몇몇 녹두군사들의 인솔을 받는다.

녹두군사1   녹두군사 훈련소에 잘 오셨소.

녹두군사 훈련소엔 소박한 건물들 몇 개가 있고, 녹두군사들이 훈련 중이다.

길달   우투리 장군을 찾아왔소이다.

녹두군사2   알고 있소. 우리가 안내하겠소.

  녹두군사들, 길달의 일행들을 인솔한다.
  여러 개의 건물들 사이에 약간 높게 올라있는 부유도가 있고, 그 위에 지휘소라고 적힌 건물이 있으며, 그 앞엔 사다리가 있다.
  지휘소 크기는 마치 절의 대웅전 같은 정도다. 그리 크지도, 작지도 않은 정도.
  녹두군사들은 일행들을 그쪽으로 인솔한다.

녹두군사1   저 곳이 우리들의 지휘소요. 장군의 처소도 저 안에 있소.

  녹두군사들은 일행들을 계속 지휘소 쪽으로 인솔한다.

S#29 녹두굴-우투리 처소

  소박하고 엄숙하지만 신성한 분위기가 흐르는 지휘소엔 녹두군사들의 지휘통제실이 있고, 그 한구석에 우투리의 처소가 있다.
  우투리의 처소에 다다른 길달 일행.

녹두군사1   잠시 기다리시오.
             (방문에 대고)장군, 길달이라는 도깨비와
             그 일행들이 왔습니다.

우투리 들라 하라.

　녹두군사들이 문을 열고 길달 일행들을 들여보낸다.
　길달 일행들 앞에 보이는 우투리.
　일어서서 일행들을 맞이하는 우투리는 아기장수의 모습이 아
닌 30대 정도의 건장한 성인으로 보이는 체구를 하고 있고, 다
른 녹두군사들처럼 온몸이 녹두로 빚어진 형상을 하고 있다.

우투리 오랜만이군, 길달. 아주 오래 전에 본 적 있지 않나?

길달 그간 안녕하셨습니까?

우투리 그래, 무슨 일로 날 찾아왔는가?

길달 장군께 도움을 청하고자 왔습니다.

우투리 도움이라?! 인간을 돕는다며
　　　　　우릴 멀리 한 자들 편에 서 있던 자네가
　　　　　우리한테 도움을 청한다?! 어떤 일인가?!

길달 요괴와 인간들 모두의 위기를 막는 일입니다.

S#30 일본 공사관(아침)

　공사관 안엔 미우라와 오카모토가 있다. 이들의 대화는 일본
어로 진행된다.

미우라 오카모토 소좌, 계획대로 잘 진행되고 있나?

오카모토   걱정 마십시오. 이미 조선은 혼란 상태에 빠져 있고,
                       낭인들은 철두철미하게 훈련 중입니다.

미우라 그래. 요괴들을 이용한 작전은 어떠한가?

오카모토   이 땅에 공포를 아주 효과적으로 부추기고 있습니다.

미우라 잘 되어가고 있군.
        그런데 조선에도 요괴가 있다고 하지 않았나?

오카모토   그것도 걱정 마십시오.
                  작전에 유리하게 잘 처리되고 있습니다.

미우라 좋았어. 앞으로 조금만 더 수고해 주게.
        이제 며칠 후면 10월 8일,
        음력으로는 8월 20일인 그날이니까.

오카모토   예! 알겠습니다!!

S#31 요괴 회담장(낮)

요괴들의 수장인 장산치가 일촌법사, 제생요마, 어둑시니,
치우 등 불문율만을 고집하는 몇몇 요괴들을 불러놓았다.
누군가가 써놓은 글을 읽고 나서 화가 나서 탁자를 탁 치는
장산치.

장산치 길달... 이놈이 끝내 우리의 불문율에 반기를 들었다.

일촌법사   흥!! 결국 인간의 편에 서겠다는 건가?!

치우   감히 지깟놈이 우리에게 반기를 들다니!!

제생요마   녀석도 다리 하나를 잃어봐야 정신을 차릴라나?!

어둑시니   어르신이 너무 오냐오냐 해주셨나 봅니다.

장산치 쥐뿔도 없는 녀석, 무난하게 먹고살게 해줬더니
      은혜를 원수로 갚는군.
      이번에 우리의 규율을 어긴 댓가를
      확실하게 느끼게 해줘야겠군.
      아마 후회하고 싶어도 못할 거다. 녀석은 사형이니까!!

  장산치, 손짓으로 누군가를 부른다.
  어두운 곳에서 슬금슬금 기어 나오는 덩치 큰 코끼리요괴.
바로, 불가사리다.

장산치 이놈과 함께 전장을 누볐던 적이 있지.
      이놈의 위력이 얼마나 대단한지 길달과
      그놈에게 공조한 놈들을 벌하면서 다시 봐야겠구나.
      아직 나오지 않은 요괴들과
      각각의 사병들을 다 불러모아라!
      협조하지 않으면
      놈들과 공조해서 우릴 배반한 것으로 여기겠다.
      조만간 녀석들을 치고,
      인간들과의 전쟁을 벌일 것이다.

다들 알겠나?!!

모두들　예!! 알겠습니다!!

장산치　두고 봐라, 길달...
　　　　요괴의 불문율을 깬 네놈의 그 잘난 재생력...
　　　　겁 없이 커버린 대갈통과 함께 찢어줄 테니...

(미우라)　　(일본어)그런데 어떻게 그들을 분열시킬 건가?

(오카모토)　(일본어)놈들은 절대 인간들과
　　　　　　손을 잡지 않으려 할 것입니다.
　　　　　　인간을 반드시 멀리하는 것이 놈들의 원칙이죠.
　　　　　　그 상황에서 우리 쪽 정보를 약간만 알게 되었으니,
　　　　　　여론이 갈리지 않겠습니까?!
　　　　　　따라서 놈들은
　　　　　　이미 그 미끼를 문 것이나 다름없습니다.

S#32　몽타주(마을/의병단/공사관/도깨비 산채/장산치파 산채/오니 산채, 경복궁 등)

시간의 흐름에 따라 크로스디졸브 효과로 화면이 전환된다.
더 큰 혼란을 막기 위해 장산치에 대항할 일행들을 모으는 길달파 요괴들.
불문율을 전부로 여기며 그것을 지키기 위해 길달을 해칠 일행들을 모으는 장산치파 요괴들.
각각의 마을에서 꾸준히 발견되는 시신들, 그리고 조선요괴를 사칭한 인장들,

분노하는 백성들, 의병에 지원하는 사람들, 급격히 불어난 의병들...

　　공사관에서 흡족해하는 미우라와 오카모토, 오니 산채에서 흡족해하는 오니대장.

　　엄숙한 근정전에서 근심에 빠져있는 고종, 마찬가지로 처소에서 근심에 빠져있는 흥선대원군, 불길한 느낌을 느끼고 걱정하는 명성황후...

　　을미사변 작전을 모의하는 일본군 참모들, 밤낮으로 훈련하는 일본군, 칼에 피를 묻히고 웃는 야만스런 낭인들...

　　밤낮으로 훈련하는 길달과 요괴들.

　　밤낮으로 훈련하는 장산치파 요괴들.

　　밤낮으로 훈련하는 의병들.

　　이어서 분노한 도깨비산채의 길달과 요괴회담장의 장산치, 의적단의 요적의 대사가 교차편집 된다.

길달　　절대 당하고만 있지 않겠다!

장산치　더 이상 감히 나대지 못하게 해주마!!

요적　　이런 개새끼들!! 반드시!!

길달　　절대로!!

장산치　용서할 수 없다!!

길달　　무슨 일이 있어도!!

요적　　모두 다!!

장산치 죽여주마!!

　주먹을 쥐고 탁자를 쎄게 내려치는 장산치.
　화가 머리끝까지 치밀어 오른 그는 쇠를 긁는 듯한 소름끼치는 울음소리로 으르렁거린다.
　소름 돋는 분노의 울음소리를 내는 장산치의 얼굴이 클로즈업되면서 장면이 끝난다.

S#33 도깨비 산채-회의실(밤)

　길달이 회의실에서 강철아, 그슨대, 새타니, 매구, 노호정, 노구화호, 새로 변신하는 '인두조수' 등의 요괴들을 모아놓고 이야기한다.

길달 이제 결전을 벌일 시간이 다가왔습니다.
　　　녹두군사들은 중간에 합류하기로 했고,
　　　그전까지 우리들이 버텨야 합니다.

매구 알겠네.

길달 그동안 장산치 어른을 존경하면서 때로는 두려워하기도 했으나,
　　　이번만큼은 조선의 모든 요괴들의 사활이 걸렸기 때문에
　　　마냥 불문율만 고집할 수는 없습니다.

노호정 살기 위해선 시대의 변화를 받아들이면서
　　　고집을 꺾어야 할 때도 있지.

길달   맞습니다. 그래서 이번만큼은 죽는 한이 있더라도
     장산치 어른을 막아야 합니다.

　진지한 이야기가 오가는 와중에 도깨비5가 회의실 안으로 헐레벌떡 달려 들어온다.

도깨비5   (숨을 급하게 헐떡이며)헉헉...!! 큰일 났습니다!!

길달   무슨 일이냐?!

도깨비5   장산치 어른이 우리의 계획을 알아차렸나 봅니다!!
         지금 숲속에서 대군을 이끌고
         우리 쪽으로 향하고 있다고 합니다!!

　분위기는 급격하게 심각해지고, 불안감이 폭풍우가 휘몰아치듯이 급격하게 고조된다.
　모두들 크게 놀란다.

길달   (눈을 크게 뜨고)뭐?!!
       이런, 젠장!! 도대체 어떻게 알아차린 거지?!
       염탐이라도 한 건가?! 아니면 첩자라도 있는 건가?!
       밀정이라도?!
       그것도 아니면, 놈들이 다른 수라도 썼나?!

도깨비5   저도 잘 모르겠습니다.

노호정   지금 그런 걸 따질 시간이 없는 것 같네!

길달   이렇게 된 이상 당장 출동해야 합니다!!

S#34 도깨비 산채 근처 숲(밤)

길달이 군을 이끌고 달려나가 보면, 맞은편에서 장산치가 대군을 이끌고 오고 있다. 불가사리 떼에 어둑시니, 일촌법사, 치우 등의 요괴들이 각각의 군단을 이끌고 오고 있다.
전투씬에서는 각각 요괴들의 개성이 드러나게끔 한다.

도깨비1   (길달에게)불가사리들까지 동원했습니다.

길달   우리를 다 태워죽일 셈인가 보군.

장산치 쪽 군단은 기세등등하게 행진한다..

장산치 저놈이 아주 제대로 죽고 싶어서 날뛰는구나.

경계태세를 갖추는 길달쪽.

매구   작정하고 우리 씨를 말릴 셈이야. 모두 전투 준비!!

매구의 강렬한 한마디에 구미호들은 야수성을 드러낸다.

길달   모두 준비!!

이에 도깨비들은 손톱을 기르고 검을 소환하며, 다른 요괴들도 각각 다른 방식으로 전투준비를 한다.

장산치쪽 진영 또한 공격성을 드러낸다.

장산치 (가소롭다는 듯이 웃는다.)흐흐흐... 해보겠다는 거냐?!
좋아. 재밌겠군.
(큰 소리로 강력한 지휘)모두 돌격!!!!!!!!

장산치쪽 대군단은 그의 지휘에 모두 야수성을 띄고 함성을
지르면서 달리기 시작한다.
장산치 또한 이빨을 드러내고 손톱을 기르고, 몸집을 부풀려
서 맹수처럼 달려든다.

매구 시작되었군.

길달 모두 돌격!!!

길달쪽 또한 함성을 지르면서 장산치 쪽을 향해 맹렬하게 달려든다.
숲의 한가운데서 두 세력이 아주 격렬하게 맞붙는다.
불가사리의 화공, 도깨비의 할퀴기와 검술, 구미호의 물기,
그슨대와 새타니의 마법, 폭발, 흑마법 등 각 요괴들의 특성을
살린 다양한 공격술이 어우러진다.
요괴들은 서로를 죽이면서 싸우고, 이에 따라 장산치파와 길
달파 양쪽 모두에 수많은 요괴들이 죽고, 숲은 불타면서 쑥대
밭이 된다.
싸우다가 마주친 길달과 장산치. 둘은 이제 서로 대면하고 싸운다.
장산치도 검을 휘두르는데, 그가 길달한테 검을 휘두르면 길
달이 그걸 막고, 다시 장산치가 반대손으로 염력을 펼쳐서 길
달을 튕겨낸다.
길달, 순간의 압력으로 복부를쎄게 강타당한 듯이 뒤로   밀

림과 동시에 몸이 허공으로 붕 떠서 뒤로 넘어지며, 그 충격으로 검을 떨군다.

　　장산치, 넘어진 길달의 멱살을 잡아 들어올린다.

　　둘 다 분노한다.

장산치　감히 네놈이 반역을 해?!!
　　　　우리 불문율을 깨고 체제를 붕괴시켜서
　　　　다 죽게 만들 셈이냐?!!

길달　아닙니다!! 우릴 죽게 만드는 건 바로 어르신입니다!
　　　　언제까지 그 불문율만 고집할 겁니까?!
　　　　대체 언제까지 이 체제가 안전할 거라 보십니까?!!
　　　　전 지금!! 모두를 살리기 위한 방법을 행하고 있는 겁니다!!
　　　　어르신이 그걸 막고 있는 거고요!!

장산치　닥쳐라, 이놈!!
　　　　(길달의 목에 검을 대고)대가리에 피도 안 마른 육시랄 놈!
　　　　이참에 아예 네놈의 명줄을 끊어주마!!
　　　　영원히 일어날 수 없게!!
　　　　그러면 네놈의 그 잘난 재생력도 끝이야!!
　　　　고얀 놈!! 천한 목숨, 기껏 먹고 살게 해줬더니 반역을 해?!!
　　　　감히 네놈이?! 숨통을 끊어주.

　　이때, 갑자기 어디선가 화살이 날아와서 장산치의 손에 꽂힌다.

　　장산치는 비명을 지르며 괴로워하고, 길달은 풀려나자마자 잽싸게 검을 집는다.

장산치　(비명)끄아아악!!! 아아아아!!!!

장산치, 손에 박힌 화살을 뽑아내고, 손은 언제 화살이 박혔냐는 듯이 금방 멀쩡해진다.
　　장산치, 화살을 확인하는데, 화살촉에 한자로 '아장(兒將)'이라고 새겨져 있다.

장산치 (어이없다는 듯한 웃음)헛, 아기장수?! 그놈인가?!

　　이어서 들리는 소리. 달리는 군중의 함성.
　　녹두가 된 장수 우투리가 수백 명의 녹두군사들을 이끌고 달려온다.

장산치 오래간만이구나. 우투리. 아기 녹두장수...
　　　　　늙어서도 아기라고 말하다니...
　　　　　(비웃음)흐흐... 뻔뻔하기는...
　　　　　(강력하게)모두 불태워버려!!!!

　　불가사리들의 화공이 녹두군사들한테 집중되고, 녹두군사들이 불에 구워진다.
　　하지만 숫자가 많아서 쉽게 밀리지는 않는다.
　　우투리가 적들을 뚫고서 장산치 앞에 선다.

우투리 오랜만이군.

장산치 그래, 귀농은 재밌나?!

우투리 뭐, 덕분에.

장산치　그럼 그대로 지하동굴에서 안락하게 농사나 지으며 살지,
　　　　뭣하러 여기 와서 이 지랄같은 판에 끼려고 그러나?!

우투리　하도 답답해 죽겠어서 말이지. 자네 태도가...

장산치　하하하, 역시 네놈답군. 어리석은 놈.
　　　　이번에도 인간의 편에 서겠다는 건가,
　　　　저번에 그렇게 나한테 쫓겨나고서도
　　　　더 험한 꼴 보고 싶은 건가?!
　　　　살려준 걸 후회하게 만들지 마!! 이 한심한 요괴야.
　　　　요괴로 다시 살아났으면 그냥 쭉 요괴로 살지,
　　　　뭣하러 인간들이랑 얽혀서 이 개고생을 하냐고!!

우투리　네놈이 상관할 바 아니다!!

장산치　그래, 이 반역자 새끼. 그렇다면!!

　길달과 장산치, 우투리의 싸움이 계속된다.
　현란하게 싸우는 와중에 거친 대화가 오간다.

장산치　너희 두 놈 다 죽여주마!!

길달　절대 죽지 않겠어!!
　　　　조선 요괴를 파멸로 이끄는 건 바로 당신이야!!

장산치　닥쳐라!! 난 조선 요괴들의 수장이다!!
　　　　모두가 불문율을 지키고,
　　　　체제를 지키게끔 유도하는 게 나의 책임이다!!

나의 임무고!! 내 몫이다!!

길달   모두가 살게끔 하는 것도 당신 몫이야!!

장산치   그래!! 모두가 살게 하기 위해서 불문율을 지키는 거다!!
        수천년간 이어져 온 전통!! 삶의 원칙!!
        지금 너희가 그걸 방해해서 모두를 죽게 만드는 거다!!

길달   고집불통!! 당신은 틀렸어!!

우투리   때로는 기존과 다른 선택을 해야 할 때가 있다는 것을 모르나?!

장산치   천만에!!!!!!!!!!!!!!!!!!!!!

  장산치, 우투리의 공격을 검으로 막아내면서 길달을 돌려차
기로 걸어차고, 우투리도 차서 넘어뜨린 후, 검을 우투리의 목
에 댄다.

장산치   이제 두 번 다시 네가 살아나는 일은 없을 거다.
        영원히 사라져라!!

길달   안돼!!

  장산치, 검으로 우투리를 내려치려는데, 어디선가 장산치 앞
으로 낫이 날아온다.
  순간적으로 몸을 뒤로 빼서 낫을 피하는 장산치.
  날아오던 낫은 나무에 꽂힌다.
  길달은 당황해서 질색하고, 장산치는 나무에 꽂힌 낫을 보고

어이없다는 듯이 웃는다.

장산치   흐흐흐....흐흐흐흐흐....

이어서 어디선가 들리는 목소리.

(요적)   요괴다!! 요괴들이 저기 있다!!

길달   (질색한 표정으로 넋을 잃고)안...안돼....안돼!!

장산치   보아라. 저게 네가 돕자던 인간들이다!!

요적   모두 돌격!!!!!!

요적의 말에 수백 명의 의병들이 요괴들을 향해 달려든다.
이제 이 싸움은 인간들과의 전쟁으로 번지게 된다.

장산치   차라리 잘 됐어!! 우리보다 먼저 쳐들어왔으니까
다 죽여버릴 명분이 타당해졌지!!
살기 위한 방법이라고?! 천만에!! 웃기지 마라!!
다 죽는 거야!! 네놈이 다 죽이는 거야!!
(크게 웃는다.)우하하하하하하하!!!!!!!
다 죽이는 거라고,
(갑자기 살벌하게 길달을 공격하며)이 새끼들앗!!

장산치의 공격으로 길달과 장산치, 우투리의 싸움이 다시 시
작된다. 둘은 현란한 액션으로 싸우고, 의병들과 다른 요괴들
도 죽기살기로 싸운다.

어떤 의병은 낫을 던져 한 요괴의 가슴팍에 꽂고, 그 요괴가 쓰러지기 전에 달려가서 요괴의 1보 앞에서 시계 반대방향으로 트리플엑셀 점프를 하면서 첫 회전 때 낫을 뽑고, 이어서 두 명(혹은 마리)의 요괴가 달려드는데, 도는 추진력으로 두 요괴의 목을 베면서, 총 세 차례의 회전을 마치고 삼점착지(슈퍼히어로 랜딩)로 착지로 동작을 마무리한다.

이 와중에 어떤 불가사리는 코에서 불을 뿜다 말고 의병 한 명을 코로 감아 잡고, 마치 채찍처럼 휘둘러대면서 주변의 의병들과 길달파 요괴들을 때리면서 튕겨내고서, 잡고있던 의병을 내던지고 무기를 빼앗아 먹어서 몸집을 더 크게 부풀린다.

우투리, 던져지는 의병에 맞고 넘어진다. 죽어가는 의병과 녹두구사들을 보면서 분노해서 불가사리들한테 달려들고, 한 마리를 처치하면서 화염 속에 휩싸인다.

길달   (우투리를 걱정하며)장군!!!!!

장산치는 더욱 맹렬하게 길달을 공격하고, 길달은 힘겹게 막는다.
요괴들과 의병들의 뒤엉켜서 혼란스럽게 싸운다.
한 의병은 어둑시니와 눈이 맞는다. 인간과 눈을 마주친 어둑시니는 커지기 시작한다. 몇몇이 그 광경을 보게 되고, 오래 보고 있을수록 어둑시니는 더욱 더 커진다.
의병들한테 붙잡혀서 그 광경을 바라보는 인두조수.

인두조수   이런, 젠장!!

의병들한테서 벗어나기 위해 더 강하게 몸부림친다.

인두조수   이거 봐!!

의병1   가만있어, 이 요괴야!!

인두조수   난 당신들과 싸우고 싶지 않아!!
            우린 당신들을 지키려고 하고 있다고!!

의병2   뭐?!

인두조수   저들이 당신들을 해하려고 하고 있지. 그래.
            당신들과 우린 사이가 좋지 않았어.
            최근의 사건들이 우리 사이를 더 갈라놓았지.
            하지만 그건 우리가 한 짓이 아니고,
            우린 당신들을 도와야 살 수 있어!!

    키가 티라노 사우르스만큼이나 커진 어둑시니, 자신과 눈을
마주친 의병을 저고리로 감아서 들어올린다.
    화면은 다시 인두조수 쪽을 보여준다.

의병3   지금 무슨 개소릴 하는 거야?!

인두조수   자세한 걸 더 설명하고 싶지만, 시간이 없어!!
            일단 저놈은 어둑시니라는 놈인데,
            인간들이 올려보거나 정면으로 보고 있으면
            몸집이 커지지. 아주 하늘을 뚫을 정도까지!!
            하지만 방법은 있어!!
            녀석은 억지로 내려볼 때엔 반대로 작아지고,
            빛에 약해!! 그러니까 불타는 장작들 다 들고
            나랑 올라가서 저새끼 눈깔 지져 버리자구!!

내가 새로 변할 수 있는거 아까 봤잖아?!

어둑시니, 저고리로 감아 들어올린 의병을 정면으로 보고 말한다.

어둑시니   (비웃으며)흐흐흐...너희 인간들 따위,
                그리고 너희를 돕는 놈들...
                내 오늘 다 짓밟아주겠다!!

이때 들리는 목소리!!

(인두조수)   이봐!!

어둑시니, 소리가 들려온 곳을 올려다본다.
    어둑시니를 앞에서 하이앵글로 잡던 카메라는 어둑시니의 뒤
로 이동해서 OS샷(오버숄더샷)과 로우앵글로, 어둑시니보다 위
에 있는 커다란 독수리 한 마리를 보여준다.

어둑시니   인두조수, 네놈이냐?!

인두조수   그렇다. 어둠이 걷히고 내리갈구면
                아무 힘도 못 쓰는 나약한 자!!

어둑시니   (깔보는 듯한 가벼운 웃음)핫, 과연 네놈이
                날 이길 수 있을 거라고 생각하나?!

인두조수   물론 아니지. 하지만 이들도 그럴까?!

어둑시니   뭐?!

독수리로 변한 인두조수의 위에서 모습을 드러내는 의병들. 모두 어둑시니를 향해 불화살을 겨누고 있다.

어둑시니   ...!!

인두조수   이것이 바로 하늘에서 네놈에게 빗발칠 정의다. 이것도 잡아 보시지!!

자신보다 위에서 자신을 내려보고 있는 인간들의 등장에 살짝 당황한 어둑시니, 작아지기 시작한다.

인두조수   지금이야!! 모두 구워버려!!

인두조수의 등 위에 있는 의병들, 모두 함께 어둑시니의 얼굴에 불화살을 퍼붓는다.
불화살은 어둑시니의 두 눈에 명중하고, 얼굴 곳곳에 꽂힌다.
괴성을 지르는 어둑시니.

어둑시니   끄아아아!!!!!!

얼굴이 화염에 휩싸이며 더 빠르게 작아지는 어둑시니, 잡고 있는 의병을 던져버린다. 이에 인두조수가 빠른 속도로 날아서 의병을 발로 잡고 바닥에 착지한다.
어둑시니는 급격한 속도로 작아지며 불타서 사라진다.
이 광경을 바라보는 요적.

요적   (혼잣말로)우릴...돕고 있잖아?!

인두조수의 등 위에서 의병들이 내리고, 인두조수는 인간모양으로 변한다.
이때 달려오는 요적.

요적 어떻게 된 거지?! 어떻게 이 요괴 놈이 너흴 도운거지?!

인두조수 우린 애초부터 당신들을 돕고자 했소.

요적 뭐라고?!

인두조수 우리가 당신들과 사이가 좋지 않은 건 사실이오.
그래서 우린 당신들 일에 개입하지 않는 것을
원칙으로 여기고 살아왔소.
하지만 어떤 썩을 놈들이 당신들을 해하고
우리에게 덮어씌웠소.
그들의 음모를 위해서 이 땅에 혼란을 주려고!!
그래서 우린 우리가 살기 위해 당신들을 돕기로 했지.
그러다가 반대세력과 마찰이 생긴 것이고.

요적 누명이라...그럼, 네놈들한테 누명을 씌운게 누구라는 거지?!
네놈들이 말하는 음모라는 건 또 뭐고...

인두조수 자세한 건 상황이 종료된 후에 이야기 해야겠소.
(장산치와 길달이 싸우고 있는 쪽을 가리키고)
일단 저기 둘이 싸우고 있는 것 보이시오?!

요적   (인두조수가 가리키는 쪽을 보고)저 괴상한 떡대와
　　　　마른 놈 말인가?!

인두조수　　　맞소. 장산범과 해치를 닮은
　　　　　　　저 덩치 큰 떡대가 당신들을 해하고자 하는 자요.
　　　　　　　일명, 장산치. 한때는 우리 모두의 우두머리였지만,
　　　　　　　쓸데없이 무의미해진 원칙만을 고집해서
　　　　　　　우릴 파멸로 이끄려는 자지.
　　　　　　　일단 저 떡대를 막아야 하오.
　　　　　　　하지만 조심하시오. 워낙 재생이 빠른 자니까.

　　화면은 다시 길달과 장산치 쪽을 보여준다.
　　격렬하게 싸우고 있는 그들.
　　하지만 장산치의 가공할 괴력에 길달이 밀리고 넘어진다.
　　길달, 넘어지면서 검을 놓친다.

장산치　이제 마지막이다. 인간의 편에 서서
　　　　우리의 수천 년 동안 이어진 체제를 붕괴시키려고 한 댓가를
　　　　똑똑히 치르게 해주마!!

　　장산치, 검을 들어서 길달을 내리찍으려고 하는데, 이때 장
산치의 뒤에서 요적이 낫으로 그의 목을 베려고 하고, 이 과정
이 장산치의 칼날에 비춰서 장산치에게 보여진다.
　　갑자기 뒤돌아서 요적에게 검을 휘두르는 장산치.

장산치　(격노)어디 인간 따위가 감히!!!

　　장산치가 휘두르는 검을 낫으로 막아내는 요적. 몇 차례 공

격과 방어가 이어지다가 요적이 우연히 장산치의 두 손을 잘라 버린다. 이에 장선치는 검을 놓치게 되지만, 잘린 부분에서 금방 새 손이 돋아나면서 한 손으로 요적의 목을 조르면서 들어 올린다.

순간적으로 숨이 막히는 고통에서 빨리 벗어나기 위해 낫을 들어 장산치의 머리에 내려찍으려는 요적.

하지만 장산치가 반대손으로 요적의 명치를 쎄게 치고, 요적은 그 충격으로 낫을 놓치게 된다.

졸지에 허공으로 튄 낫은 장산치 뒤에 쓰러져 있는 길달에게 향한다.

길달, 자신을 향해 날아오는 낫이 머릿통에 닿으려는 순간에 극적으로 그 낫을 잡고 일어난다. 그리고 장산치를 향해 달려가는데, 이 과정은 슬로우모션으로 진행된다.

두 손으로 요적의 목을 조르는 장산치.

장산치　안타깝구나!! 너희 인간들을 진작에 내가 쳤어야 하는 건데...
　　　　그래야 이 사단이 안 날 수 있었을 텐데!!
　　　　하지만, 지금이라도 늦지 않았다.
　　　　지금이라도 모두 죽여줏!

장산치의 말을 끊고 갑자기 들리는 사운드.

"푸직!!"

온 몸에 갑자기 힘을 빼고 축 늘어지는 장산치.
이와 동시에 풀려나서 떨어지는 요적.
무릎을 꿇는 장산치.

장산치 (허탈한 표정과 힘 빠진 말투로)결국...결국엔....
　　　　결국엔 네놈이...모두를 죽이는 구나...
　　　　(한숨)하~~아~....

　맥없이 쓰러지는 장산치. 그의 뒤통수엔 낫이 꽂혀 있다.

길달　　부디... 편히 잠드소서...

　장산치의 죽음을 보고 격노한 일부 장산치파 요괴들이 길달
을 죽이러 달려든다. 마치 마지막 발악처럼.

일촌법사　　　　이놈!!

제생요마　　　　이런, 배신자 새끼!!

치우　죽어!!!!

　장산치파 요괴들이 마지막 발악으로 덤벼들고, 이에 길달파
요괴들과 의병들이 한 팀이 돼서 순식간에 그 적들을 무찌른다.

길달　　(안타까워하는 감정)이러려고 한 게 아닌데...
　　　　다 같이 살자고 시작한 건데...

　상황이 진전되고 나서 길달과 의병들의 대화가 진행된다.
의병과 요괴를 모두 포함해서 살아남은 인원은 소수일 뿐.
백 명이 채 될까 말까다.

요적　　왜 너희들은 우릴 돕는 거지?!

인두조수   아까 누명을 벗고 살기 위해서라고 했잖소.
                오해를 풀고, 우리의 삶을 살아가기 위해서
                당신들을 도운 것이오.

요적   그래. 그렇다면 너희들이 우리 사람들을 해한 것이
                아니라고 가정해보겠다.
                그럼 도대체 누가 그런 짓을 한 거지?!
                음모란 건 또 뭐고?!
                알고 있는 대로 다 말해.
                납득시키지 못하면 너희들도 죽게 된다.

길달   그놈들은 왜에서 온 놈들이오.

요적   왜놈들이라고?!

길달   오니라는 놈들이고, 뿔이 달려 있소.
                우리를 사칭한 게 바로 그들이지.
                내가 진짜 도깨비요. 그리고 나는 뿔이 없소.

의병1   (믿기지 않는다는 듯이)뿔이...정말...없군.

의병2   (놀랍다는 듯이)그러게?!

요적   그래서 그들이 어쨌다는 거냐?!

길달   그들은 이 땅을 혼란시키기 위해서 우리를 이용했소.
                혼란을 주고 분열을 야기시키면서,

그 와중에 음모를 실행시키려는 모양이오.

요적   어찌 그걸 알고 있지?!

길달   그놈들한테서 도망치고 있던 여인을 도와준 적이 있소.
그녀 덕분에 알 수 있었소.
비록 안타깝게도 그녀를 살리는 건 실패했지만...

요적   그럼 그 음모가 뭐지?!

길달   왜 쪽의 인간들과 합동해서 여우사냥을 하는 거요.

요적   여우사냥?!

길달   이 땅의 왕비를 죽이는 것이오.
그들은 그녀를 여우라고 칭하고 있소.
그녀를 죽여서 정치적인 장애요인을 없애고,
이 땅을 장악하려는 것이오.

분위기가 급격하게 더 심각해진다. 의병들의 근심이 더 커진다.

요적   이럴 수가...

의병1   이런, 천하에 죽일 놈들...

의병2   아니 도대체 높은 양반들이랑 관리들은 뭐하고 있는 거야?!

길달　　도망치는 자들, 나몰라라 하는 자들이 많았다고 들었소.
　　　　게다가 그들은 이미 당신들의 궁을 장악했다고 했소.

의병3　이런, 젠장!! 궁 공사한다고 지랄하면 뭐해?!
　　　　이렇게 다 뺏길거면서!!

요적　　그럼, 혹시 날짜에 대해서도 놈들이 말한 것 있나?!

길달　　그건 모르겠소. 하지만 곧 실행할 듯하오.

요적　　절대 그렇게는 못하지!! 우리가 막을 거니까.

의병4　막아야지... 근데 무슨 수로 막아?! 쪽수도 적은데...

요적　　지금 여기 죽어있는 애들 싸우는 거 못 봤어?!
　　　　초인적인 힘으로 우리와 싸웠지만 결국 우리가 이겼어.
　　　　농기구랑 칼 몇 개로...
　　　　관군들한테서 빼앗은 무기들 몇 개로...
　　　　무기가 후졌어도 우리가 이겼어.
　　　　여기 살아있는 요괴들도 강한 놈들이고.
　　　　근데 우리가 뭐가 무섭겠어?!

의병4　하긴...근데, 그래도 대장, 그놈들은 무기도 쎌지도
　　　　모르고, 그쪽 요괴들이 더 쎌 수도 있잖아.

요적　　우린 후진 무기로도 깡으로 싸워서 이겼잖아. 안 그래?!
　　　　얼마든지 쎈 무기랑 괴물들 다 들고 와보라고 그래.
　　　　씨발, 다 쳐 부숴줄 테니까!!

의병4   하긴 그래. 우린 쎄지.

요적   그리고 만약에 못 이긴다고 해도,
       우리가 아니면 누가 지키겠어?!
       나랏일 하는 놈들은 다 지들 살 궁리만 하고
       군사들은 대부분 도망쳤다매.
       그거, 경복궁...
       우리 피같은 세금이랑 등골로 만들어진 거야. 씨발!!
       우리 돈이고 우리꺼라고!!
       설사 죽는 한이 있어도 우리 껀 우리가 지켜야지.
       윗대가리들도 나몰라라 하는데 우리라도 지켜야지.
       아니, 우리가 꼭 지켜야지. 우리껀데. 안 그래?!

의병5   (짜증)에라이, 지켜서 뭐해?!
       어차피 우린 윗대가리들한테 당하나,
       왜놈들한테 당하나, 지배당하는 건 똑같은데...
       윗놈들이 안 지키는데 뭐해?!
       그리고 그 왕비...그닥 썩 좋은 거 같지도 않은데...
       사치가 심하다는 말도 있드만...

요적   니가 좋은지 안 좋은지 어떻게 알어?!
       너 이럴려고 의병됐냐?! 그런 소리 하면 자괴감 안 들어?!

의병5   들긴 들지...근데...

요적   너같은 놈이 있으니까 우리가 병신들한테 지배당하는 거야.
       알아?!

그리고 왕이랑 왕비는 이 나라 상징이야.
외국 놈들한테 죽게 놔두면 되겠냐?!
그러면 딴 나라 새끼들이 우릴 얼마나 얕잡아 보겠어?!
또, 우리가 당한 건 기분 안 나빠?! 값아줘야 하지 않아?!

의병5   알았어. 그래. 병신들한테 당하고 살 순 없지!!
그리고 원수는 값아줘야지!!

요적   그래. 당연하지.
그리고 이건 왕비를 위해서 싸우는 게 아니라
우리 자신을 위해서 싸우는 거다.

의병3   근데 날짜도 모르잖아?!

길달   10월 8일이 아니면, 8월 20일이라고 했소.
놈들이 자기 날짜로는 10월 8일이고,
우리 날짜로는 8월 20일이라고 했으니,
둘 중 하나일 것이오.

의병3   무슨 날짜가 두 개나 된대?!

요적   일단, 오늘 날짜 아는 사람?!

의병1   글쎄...

의병2   뭐...들은 게 있어야지...본 적도 없고...

의병3   봤어도 여기 글 읽을 줄 아는 사람이 많기나 해요?

의병4   중국놈들 말이었을 수도 있잖아. 왜놈들 말일 수도 있고...

의병5   난 도깨비가 여자애들 죽였다는 것도 들어서 알았지.
        그 글자 보고도 그게 도깨비라고 쓴 건지
        뭐라고 쓴 건지도 몰랐어.

의병4   자랑이다, 이 무식한 놈아.
        난 그래도 우리글은 조금 안다. 조금...
        한자를 몰라서 그렇지.

의병5   그래서 뭐, 과거라도 봤수?! 공부라도 제대로 했어?!

의병4   아, 그건...신분 때문에...돈도 없고...거지라서...씨발...

의병6   아, 맞다. 오늘 아침에 모임 오면서 저잣거리에서
        두 양반집 앞에 지나왔는데...
        한 집은 오늘이 8월 19일이라고 하고,
        다른 집은 오늘이 10월 7일이라던데?!

요적   확실해?!

의병6   맞어. 내가 오면서 그 집 종들이 떠드는 거 분명하게 들었어.
        하나는 8월 19일, 하나는 10월 7일.
        근데 왜 이렇게 다르지?!

길달   그건 모르겠지만, 시간이 얼마 안 남지 않았소?!
        둘 다 작전날짜랑 하루밖에 차이가 안 나지 않소.

모두들, 표정이 심각해진다.
　이때, 어디선가 여인의 목소리가 들려온다.

(처녀)　그럼, 당장 가야지. 뭘 꾸물거리고 있소?!

　모두들, 소리가 난 쪽을 본다. 그곳엔 처녀가 대략 100명쯤 되는 여인들을 이끌고 와 있고, 복장은 전투에 편리하게 개량된 복장이다.

길달　　당신은?!

도깨비5　　　당신... 살아 있었소?!

처녀　악착같이 살아났소. 처녀들을 죽이는 놈들과의 싸움이 있을 거란 소문을 듣고 왔는데, 인원을 더 모으느라 늦었소.
　　　　오는 중에 애기를 들어보니 아직 시작하지 않았나 본데, (이상하다는 듯이)그럼, 이 시체들은 뭐요?!

도깨비5　　(난처해하며)그게... 말하자면 좀 기오.

길달　아무튼 잘 왔소. 막 시작하러 가려던 참이오.

요적　근데 난 좀 걱정되오. 보아하니 인원도 적은 것 같은데, 위험하지 않겠소?!
　　　　놈들은 처녀가 감당하기 힘들 것이오.

처녀　(비웃음)훗, 삶에 힘들지 않은 게 어디 있겠소?!
　　　　당신은 이 땅의 여자들을 너무 우습게 보는군.
　　　　그런 걱정 따윈 집어치우시오.

　처녀, 엄청 커다란 말벌집이 소나무의 가지에 달려있는 것을
발견한다.

처녀　모두들 조심하시오. 그리고 똑똑히 보시오.
　　　　두려움을 피해 살기위해 악착같이 버티며 어렵게 쌓은
　　　　내공을 보여줄 테니...

　처녀, 앞으로 나서서 비녀를 빼고 벌집 위로 던진다. 비녀는
정확히 벌집 윗부분을 건드려 떨어뜨리면서 소나무에 꽂힌다.
　벌집은 바닥에 떨어져 박살나고, 안에서 약 3천 마리의 말벌
들이 순식간에 날아오른다.
　그와 동시에 처녀, 땅을 차며 공중으로 튀어오르고, 처녀가
땅을 찰 때의 반동으로 인해 땅바닥의 벌집 파편들도 함께 튀
어오른다.
　그 후, 처녀, 은장도를 빼들고 휘둘러서 은장도 날로 공중의
벌집 파편들을 튕겨낸다. 튕겨진 파편들은 날아가면서 말벌들
의 날개를 모두 잘라버리는데, 이때 말벌들 몸통은 털끝하나도
절대로 다치지 않는다.
　처녀, 은장도를 계속 휘두르는데, 이번에는 은장도 날 옆면
으로 말벌들의 몸통을 튕겨내고, 튕겨진 말벌들은 꼬리부분이
사방의 약 10그루의 소나무에 빼곡하게 꽂힌다.
　말벌들이 꽂힌 소나무들은 말벌들이 너무 빼곡하게 꽂혔기 때문
에 균열이 일어나 폭발하고, 폭발의 반동으로 비녀가 튕겨진다.
　처녀, 가볍게 착지한 후 비녀를 잡아 머리에 꽂고, 머리를

정리하면서 요적에게 간다.

땅에는 폭발의 여파고 인해 팝콘처럼 튀겨진 말벌들이 떨어진다.

처녀   다들 이제 이 정도는 하는데, 이래도 우리가 걱정되오?!

요괴들과 의병들, 모두 놀라움을 금치 못한다.

처녀   아닌 것 같군요. 그럼, 갑시다!

S#35 경복궁-광화문, 훈련대, 북문, 건청궁 곤령합(내전) 등 교차편집(새벽)

일본군과 낭인들의 만행들이 일사분란하게, 교차편집으로 진행된다.

<광화문 근처>
일단의 일본군 패거리들이 두 대의 가마를 이끌고 광화문으로 향한다.
각 가마엔 흥선대원군과 그의 아들인 이재면이 타고 있는데, 그 둘의 표정은 근심이 가득하고 기분이 나쁘다는 것을 드러내는 표정이다. 그 둘은 적에게 이용당하는 듯한 기분을 표정으로 나타내고 있다.

<조선군 훈련대>
연병장에서 일본인 교관, 야간훈련을 실시한다는 명목으로 조선군 훈련대의 병력을 경복궁으로 유인한다.
이 과정을 지휘소에서 훈련대 연대장인 홍계훈과 군부대신 안경수가 불길하다는 느낌의 시선으로 바라본다.

\<경복궁 밖\>
낭인들, 경복궁의 담을 순식간에 넘는다.

\<광화문\>
담을 넘은 낭인들이 광화문을 열고 퇴장한다.
낭인들이 문을 열면, 일본군들이 대원군과 이재면의 가마를
들고 들어온다.
뒤이어 홍계훈과 안경수가 시위대를 이끌고 광화문에 도착한다.
바로 총격전이 시작되고, 이 과정에서 홍계훈과 시위대 병사
10여 명이 죽게 되며, 안경수가 도망치면서 시위대는 뿔뿔이
흩어져 오합지졸이 된다.
뒤이어 오니를 포함한 일본요괴들이 광화문으로 들어온다.

\<광화문 밖\>
조선요괴와 의병들, 숨어서 일본요괴들이 광화문으로 들어가는
광경을 지켜본다.

요적   저 새끼들 다 들어가고 나면 문이 닫힐 거야. 그러면 늦어.

길달   우리 요괴들이 먼저 앞장서겠소.

요적   저들을 당해낼 수 있겠나?!

길달   최소한 인간인 당신들보다는
           우리가 앞장서는 것이 낫지 않겠소?!
           재생력으로 보나, 힘으로 보나...
           그리고 설령 힘이 든다고 하더라도

여기서 멈출 순 없잖소.

요적   하긴, 그렇지.

길달   그럼, 갑시다.

조선요괴와 의병들, 광화문으로 향한다.

<북문>
북문에서도 일본군의 습격이 진행된다. 북서쪽의 추성문과 북동쪽의 춘생문을 통과한 일본군들이 북쪽의 신무문을 공격해 들어간다.

<광화문~함화당 일대>
광화문의 수비대를 뚫은 일본군과 일본요괴들, 신무문을 통과한 북쪽의 일본군들은 함화당 일대까지 거침없이 진격한다.
하지만 조선군은 당하고만 있지 않는다. 연대장 현흥택과 미국인 교관 다이(W.Mc.Dye)의 지휘 아래 400여 명의 시위대가 비상소집되어 일본군에 저항한다.
그러나 무기의 열세로 인해 곧 무너진다.

<건청궁 앞>
400여 명의 시위대를 무너뜨리고 더욱 더 기세등등해진 일본요괴들과 일본군들은 건청궁 앞까지 도달한다. 그리고 건청궁의 사방을 봉쇄한다.
이 과정을 근처에서 지켜보는 조선요괴들과 의병들.

요적   놈들이 저길 막고 있군.

길달   사방으로 봉쇄하는 걸 보니,
         왕비는 분명히 저기 있을 것이오.
         도망가지 못하게 하려는 속셈인 듯하오.

요적   잔인한 놈들...

길달   어서 놈들을 막읍시다!!

   길달과 요적이 이끄는 조선요괴와 의병들의 100여 명 남짓한 무리가 그놈들에게 달려든다.

길달   이 개새끼들아!!!

   적을 향한 길달의 돌진에 조선요괴와 의병들(조선팀), 일본요괴와 일본군(일본팀)의 접전이 벌어진다.
   조선팀은 병력 면으로는 훨씬 열세지만, 조선요괴들은 재생력을 바탕으로, 의병들은 깡을 바탕으로 이를 악물고 싸운다.
   조선팀은 그렇게 일본팀에게 많은 피해를 입히긴 하지만, 일본군의 총칼과 일본요괴의 힘 앞에 무너져간다. 조선요괴들이 재생력을 바탕으로 적의 총알을 받아내면서도 아무렇지도 않다는 듯이 싸우지만, 일부는 머리에 총칼을 맞고 죽게 된다.
여인들도 화려한 무공을 선보이며 열심히 싸우지만, 장렬하게 전사한다.
   밀리는 와중에 길달은 자신이 건청궁의 담을 넘어 왕비를 피신시킬 각오로 건청궁의 담 위에 올라선다. 그리고 그를 따라 몇몇 조선요괴들도 담장 위로 올라간다.
   하지만 그들이 담벼락 위에 올라서서 본 건청궁 내부의 상황도 심상치가 않다. 마당에는 많은 이들의 시신이 마구잡이로 놓여 있는데, 대부분이 궁녀들과 상궁들이고, 건물 안에서 문이 부서지며 시체가 밖으로 던져진다.

<건청궁 내부>
일본 낭인들의 대 학살이 벌어진다. 낭인들은 건청궁 내부의 궁녀들과 상궁들을 닥치는대로 난도질해서 죽인다.

<건청궁 내부-곤령합(침전)>
침전에는 명성황후와 궁내부 대신 이경직, 상궁들이 한데모여 긴장된 상태로 불안에 떨고 있다. 명성황후는 상궁들과 비슷한 분장을 하고 있다.

이경직　마마, 저들의 눈을 피해서 빨리 이 궁을 빠져나가야 합니다!

명성황후　　어쩌다가 나라꼴이 이지경이 되었단 말이오...
　　　　　　어쩌다가 이지경이 되었단 말인가...어쩌다가...

이경직　한탄할 시간이 없습니다!

상궁1　저희가 놈들의 눈을 잠시나마 가리겠사오니,
　　　　　그사이에 이곳을 빠져나가셔야 하옵니다!

명성황후　　어디로 가란 말이냐...어디로 가야한단 말이냐...
　　　　　　내 몸을 숨길 곳이 이 땅에 있단 말이냐?...
　　　　　　있기는 한 것이냐?!

상궁1　어디든...어떻게 해서든 숨고 피하셔야 합니다!

이경직 소신이 보필하겠습니다!

상궁1 부디 옥체를 보존하시옵소서!

<건청궁 내부-침전 앞 복도>
  침전에선 상궁들이 뛰쳐나와 뿔뿔이 도망친다. 낭인들은 상궁들을 베기에 급급하고, 그사이 한 상궁과 대신이 밖으로 나가는 문을 연다.
  이때, 한 낭인이 그 모습을 우연히 발견하고 그 상궁을 의심스러운 눈으로 바라본다. 그 상궁의 얼굴을 유심히 본다.
  상궁을 바라보던 낭인, 기모노 옷의 가슴팍 안쪽에서 사진 한 장을 꺼낸다. 명성황후의 사진이다. 낭인은 그 사진을 보고 다시 상궁과 내신을 본다.
  상궁과 대신은 간신히 밖으로 나가고 낭인은 그 상궁이 명성황후임을 알아차린다.

<건청궁-옥호루>
  상궁으로 변장한 명성황후와 그녀를 보필하는 대신 이경직, 건물 밖으로 나와 사력을 다해서 달린다. 하지만 발을 헛디뎌 넘어지는 명성황후.
  이때를 노린 낭인들이 그녀를 향해 달려든다.

낭인1 (일본어)왕비가 저기 있다!! 여우가 달아난다!!

  낭인들이 명성황후에게 다가가는 광경을 담벼락 위에 서있는 길달과 몇몇 조선요괴들이 보게 된다.
  낭인 한 명이 칼을 들고서 명성황후에게 휘두르려고 하고, 이경직이 두 팔을 벌려 명성황후를 보호하면서 그 낭인을 가로막는다.

낭인은 칼을 휘두르고, 이경직의 두 팔이 잘려나간다.

이경직, 피를 흘리며 쓰러지고, 낭인은 쓰러진 이경직을 찌른다.

이경직의 죽음을 목격한 길달과 조선 요괴들, 분노에 차올라서 낭인들이 있는 쪽으로 점프하고, 낭인들을 공격하려고 한다.

길달이 하강하면서, 이경직을 죽인 낭인을 검으로 내려베려는 순간!!

누군가가 길달의 어깨를 뒤에서 잡는다.

길달, 순간적으로 뒤를 돌아보면, 오니대장이 길달의 어깨를 잡고 있다.

오니대장　　　(일본어)쥐새끼 같은 놈!!

오니대장, 길달을 잡은 손의 반대쪽 손으로 방망이를 들고 길달의 머리통을 쎄게 내리친다. 팍!!

머리통에 일격을 맞은 길달, 땅에 떨어진다. 쿵!!

건청궁 옥호루의 바닥에 뻗어 누운 길달, 정신이 몽롱하다.

오니대장　　　(일본어)여기까지 온 것을 후회하게 해주마!!
　　　　　　　　　카야!!!

오니대장, 점프해서 길달을 내리꽂으려는 기세로 빠르게 하강한다.

몽롱한 시선에서 오니대장을 인식한 길달, 피하기 위해, 일어서기 위해서 몸을 뒤집는데...

쿵!!!!!!

결국, 오니대장이 방망이로 길달을 내리치고, 방망이가 길달의 등에 내리꽂히고 만다. 충격을 온몸으로 흡수한 길달은 괴로워하며 피를 토한다.

길달　　　(비명)크아악!!!

　충격으로 인해 폭발이 발생한다. 비록 파장은 작지만 위력은
가공할 수준의 폭발이다. 북한의 핵실험 영상이나 쿵푸허슬의
여래신장 장면에서 반경길이만 작은 것을 연상하면 된다. 반경
이 작은 대신, 길달이 한번에 토하는 피의 양을 어마어마하게
많게 설정해서 관객이 그가 엄청난 충격을 온몸으로 받은 것을
인지하게 한다.

오니대장　　　　　(착지 후 일어서서 물러나서, 일본어)
　　　　　　　　　오늘이 너희들의 제삿날이다.
　　　　　　　　　너희 왕비가 죽는 광경을,
　　　　　　　　　우리들의 여우사냥을 마음껏 보거라.

　길달, 엎드린 채로 앞을 보면, 이경직을 죽인 낭인이 이경직
의 등에서 칼을 뽑아드는 것이 보인다.
　칼에 묻은 피를 털어내는 낭인, 쓰러져있는 명성황후를 보고
칼을 세워든다.
　길달, 뒤를 돌아본다. 길달과 함께 건청궁의 담을 넘은 몇몇
조선요괴들이 일본요괴들과 뒹굴며 싸우고 있다.

<건청궁 밖>
　나머지 조선팀과 일본팀이 싸우고 있다. 이 과정에서 조선팀
에서 수많은 사상자가 발생한다. 요적을 비롯한 대부분의 의병
들이 총을 맞고 칼에 찔려 죽게 되고, 조선요괴들도 많이 죽게
된다.
　하지만 불굴의 의지로 싸운 몇몇 조선요괴들이 겨우 대문을
부수고 건청궁 안으로 들어간다.

<건청궁-옥호루>
길달, 다시 앞을 본다.
이경직을 죽인 낭인, 칼을 휘두르기 위해 힘을 쥔다.
이에 힘겹게 일어서면서 소리치는 길달.

길달   (일어나면서)안돼!!!!!!!!!!!!

길달이 일어나는 순간 뒤에서 방망이를 휘두르는 오니대장.

오니대장   (일본어)어딜!!!!!

길달, 방망이를 휘두르는 오니대장의 손을 검으로 잘라버린다.

오니대장   (비명, 일본어)끼아아아악!!! 이런 조센징!!!

길달, 즉시 검으로 오니대장의 배를 깊게 찌르면서 동시에
반대손의 손톱으로 그의 목을 깊게 찔러 죽인다.
길달, 손톱과 검을 빼내고서 다시 명성황후 쪽을 보는데...
이경직을 죽인 낭인, 명성황후를 향해 칼을 휘두른다.
건청궁 내에 울려 퍼지는 명성황후의 짧지만 묵직한 비명소리.

명성황후   (비명)으아악!!

남은 조선팀원들 모두, 비명소리가 난 곳을 본다.
칼을 맞은 명성황후가 보이고, 절망에 빠진 조선요괴들, 의
병들, 궁녀들, 상궁들 등 겨우 살아남은 조선인들, 길달을 비
롯한 몇몇 조선요괴들의 표정이 번갈아가며 클로즈업된다. 그

들은 모두 상실감, 절망감, 공포, 허탈감 등의 무력한 감정을 품고 눈물을 머금은 표정을 하고 있다.

　낭인들, 명성황후를 둘러싸고 난도질해댄다.

길달　　(눈물을 머금은 분노)그만 둬!!!!

　길달, 낭인들을 향해 달려들어서 검과 손톱을 휘두른다.

　분노한 길달, 대다수의 낭인들을 죽이지만, 그 또한 칼을 몇 대 맞는다. 적의 가슴에 칼을 꽂는데, 길달의 가슴에도 일본칼이 꽂힌다. 하지만 길달은 이에 아랑곳하지 않고 싸운다. 그는 남들보다는 월등한 재생력이 있으니까.

　길달, 자신의 가슴에 꽂힌 일본도를 뽑고, 달려드는 낭인들 몇 명을 벤다. 그러고는 앞서 칼을 맞고 쓰러진 낭인의 가슴에서 자신의 칼을 뽑아들고, 양손의 두 칼을 모두 활용해서 싸운다. 그러다가 일본도는 내던지는데, 던져진 일본도는 한 낭인의 머릿통에 꽂힌다. 그 후 길달은 자신의 검으로 현란한 액션을 펼친다.

　하지만 화려한 액션도 잠시 뿐이다.

　일본군들이 몰려들어 길달에게 총을 연사하고, 그것을 연달아 맞는 길달은 충격과 반동 때문에 무력화된다.

　검을 떨구고 무릎을 꿇는 길달.

　적들과 싸우다가 길달이 걱정되어 길달한테 달려가는 그슨대, 길달을 부축하려고 한다.

그슨대　대장, 괜찮아?!

길달　　(그슨대를 말리며)...괜찮아.

그슨대   (눈물을 머금고)대장...

길달   난...걱정 마라...이정도론 끄떡 없으니까...
          그리고 넌 어서 도망쳐!...여긴 내가 막을테니까...

그슨대   (놀라서)뭐?!

길달   우리들 중에선... 네가 가장 작고 빠르지 않냐?! 꼬마야...

그슨대   (받아들일 수 없다는 듯이)아냐...아니야, 아냐!!
          절대 못 가!!

길달   (눈물을 머금고 흥분해서)모두 다 죽어가고 있다!!
          거의 다 죽어가고 있어!!
          정신 차려, 이 새끼야!! 하나라도 살아야 하지 않겠냐?!
          반드시 살아남아!!
          살아남아서 우리의 이야기를 후대에 조금이라도 알려!!

그슨대   (울면서)아냐...아니야, 그럴 순 없어!!

길달   (그슨대의 멱살을 두손으로 붙잡고, 목에 핏줄이 설 정도로 흥분해서)
          이 새끼야, 그러다 우리 둘 다 죽어!!

그슨대   (펑펑 울면서)차라리 같이 죽어!! 아니면 같이 가든가!!
          난 대장 없인 못 가!!

길달   에이 씨!!

슬퍼서 울면서 화가 난 길달, 그슨대를 멀리 건청궁 밖까지 내던진다. 건청궁이 경복궁의 북쪽에 있으니까, 정확히는 북문 앞까지 힘차게 내던진다. 사력을 다해서, 젖먹던 힘까지 다 써서, 마치 박찬호가 강속구를 던지는 것처럼, 헐크가 제트기를 던지는 것처럼, 투석기처럼.

길달   (목 놓아 울면서, 그슨대를 내던지며, 고함!!)
          어서 가라고,!!!!

<건청궁 박(북문쪽)>
시속 80~100km로 내던져진 그슨대, 땅에 닿으려는 순간 생존 본능이 발동해서 낙법을 친다. 가벼운 찰과상을 입거나, 기껏해야 팔 하나 부러지는 정도의 부상을 당하지만, 일어난다.

그슨대   (건청궁 쪽을 보고 울면서)...대장....

그러나 슬픔에 젖어있는 것도 잠시뿐.
몇몇 일본군과 일본요괴들이 그슨대를 발견한다.

일본군1   (뛰기 시작하면서, 일본어)
             조선 꼬맹이가 도망친다!! 잡아라!!
             생존자가 한 명도 있어서는 아니 된다!!

그슨대   (울면서)...에잇!!...

그슨대, 사력을 다해서 도망친다.

일본요괴1   (뛰면서, 일본어)거기 서라!!

그슨대, 북문을 향해 달린다.

<건청궁-옥호루>
그슨대가 던져진 방향을 보는 길달.

길달　(눈물을 머금고)살아남아...반드시...
　　　　그리고 우릴 절대 잊지 마라...절대로...

길달, 다시 원래 보던 곳으로 돌아선다.
일본팀은 나머지 조선요괴들을 모두 죽이고 길달에게 달려든다.

길달　(검을 집고서 비장하게)오냐... 그래,
　　　　오너라 이 씨발놈들아!!!!

길달도 적들에게 달려든다. 이어서 대략 1대 1000의 비장미 넘치는 화려한 싸움이 전개된다. 끔찍하고 슬프지만 화려한 액션이 펼쳐진다.
　길달, 싸우는 도중에 총칼을 수없이 많이 맞지만 아랑곳하지 않고 적들을 베고 찌르면서 죽인다. 혼란스러운 와중에도 오로지 적과 싸울 생각 하나만으로 버티면서, 불굴의 의지로 맞서 싸운다.
　하지만 그 와중에 촉수요괴가 길달을 공격한다.
　길달, 촉수에 감기면서도 적들을 죽여대고, 촉수를 잘라댄다.
　그러나 이내 수만 개의 촉수가 동시다발적으로 길달을 공격하고, 길달의 온몸을 뚫고 목과 얼굴부분까지 뚫어버린다.
　이렇게 길달, 장렬하게 전사하게 된다. 마치 창세기전3의 철가면처럼...슬프고 안타깝게...

S#36 북악산(새벽)

경복궁 북쪽의 북악산.
그슨대를 쫓던 일본팀이 산을 뒤지고 있다.

일본군1   (일본어)젠장... 어디로 도망친 거야?!

일본요괴1   (일본어)쥐새끼 같은 조선 꼬맹이.

일본요괴2   (일본어)흥!! 지가 숨어 봤자지.

일본군2   (일본어)지깟 놈이 뭘 하겠어?!
                날도 곧 밝으니까 그냥 가자!!

일본팀, 수색을 접고 하산한다.
일본팀이 물러나면 카메라, 산의 한 귀퉁이로 달리인해서,
한쪽 귀퉁이 나무 뒤에서 웅크리고 앉아 울고 있는 그슨대를
보여주면서 검정으로 페이드아웃 된다.
엔딩곡으로는 <창세기전3>의 "End And"가 흐른다.

The End.

이 책을 사서 보신 분들은 아래의 페이지에 진지한 평가를 부탁
드리겠습니다.

돈을 주고 사서 보시는 만큼, 오래전에 저한테 받아서 보신 분들
보다는 훨씬 더 진지한 비판을 하실 것으로 예상됩니다.

즉시 고칠 수는 없더라도, 향후 수정해서 완성도 높은 작품으로
만들고 싶습니다.

-영화 유튜버 <레디액션맨임상훈> 올림.-